LA VIE DE RECLUSE

LA PRIÈRE PASTORALE

INTRODUCTION

Les deux opuscules d'Aelred de Rievaulx (1110-1167)
que nous présentons ici, pour la première fois mis en fran-
çais, sont sans doute ce que cet auteur a écrit de plus personnel.

Nous ne connaissons plus aujourd'hui que la Violaine
de Claudel, mais la recluse a sa place dans un tableau de
de la société du xiie siècle au même titre que le chevalier
ou le moine[1]. La description si vivante que nous en donne

1. La bibliographie concernant les recluses est donnée par Othmar
DOERR, *Das Institut der Inclusen in Süddeutschland*, Munster i.
W., 1934, p. vii-xiii ; Dom L. GOUGAUD, *Ermites et reclus*, Ligugé,
1928, p. 56 note 1 ; ID., « Essai de bibliographie érémitique » (1928-
1933), dans *Revue Bénédictine*, XLV (1933), p. 280-291. Parmi les
travaux plus récents, signalons : B. SCHELB, « Inklusen am Ober-
rhein », dans *Freiburger Diözesanarchiv*, LXVIII (1941), p. 174-253 ;
F. DARWIN, *The English Medieval Recluse*, Londres, 1943 ; M. BER-
NARDS, *Speculum virginum, Geistigkeit und Seelenleben der Frau im
Hochmittelalter*, Cologne, 1955 ; Dom P. DOYÈRE, « L'Érémitisme »,
dans *R. A. M.*, XXXII (1956), p. 349-357, qui donne un premier
bilan de l'enquête sur l'érémitisme en France, ouverte en 1950 par
la « Bibliothèque d'Histoire des Religions » de la Sorbonne, et dirigée
par M. l'abbé J. Sainsaulieu. On trouvera en outre de nombreuses
indications sur l'érémitisme et la réclusion dans la tradition béné-
dictine, avec références bibliographiques récentes, dans Dom
J. LECLERCQ, « Pierre le Vénérable et l'érémitisme clunisien », dans
Studia Anselmiana, 40 (1956), p. 98-120, et Dom Philibert SCHMITZ,
Histoire de l'Ordre de S. Benoît, t. VII, Maredsous, 1956, p. 53-58.
Les diverses règles pour reclus et recluses ont été recensées par
Dom L. GOUGAUD, *Ermites et reclus*, p. 62-65, et L. OLIGER, *Spe-
culum inclusorum auctore anonymo anglico saec. XIV* (Lateranum,
Nova ser., IV, 1), Rome, 1938, p. 9-12. Les relations entre les cis-
terciens et les recluses ont été étudiées par B. GRIESSER, « Eine Unge-
druckte angeblich von Cistercienseräbten verfasste inklusenregel »,

l'Abbé de Rievaulx nous fait mieux connaître une époque dont la rudesse de mœurs laissait s'épanouir, sous l'influence du christianisme, des âmes d'une délicatesse exquise. « Nul mieux qu'Aelred, sauf peut-être Abélard, écrit Dom Knowles, n'a eu l'art de nous rendre aussi proche ce qui reste malgré tout si lointain[1] ».

La méditation qui forme la troisième partie de ce traité fera l'objet d'une étude spéciale dans cette introduction : on peut y voir le premier exemple aussi systématiquement développé de l'application des sens, de l'imagination et de l'émotion aux mystères du Christ contemplés dans la suite du récit évangélique. Ce texte mérite donc d'être considéré comme l'une des sources de la spiritualité chrétienne, ou au moins comme une fontaine à laquelle bien des âmes

---

dans *Analecta S. O. C.*, V (1949), p. 81 ss. (la règle en question est contenue dans le ms. *Bâle*, B III 27 ; une rubrique dit : « Regula haec inclusorum ab abbatibus Cisterciensis ordinis instituta est » ; mais il n'est pas certain qu'elle ait été composée par des cisterciens) ; voir aussi S. ROISIN, « L'efflorescence cistercienne et le courant féminin de piété au XIIIe siècle », dans *R. H. E.*, XXXIX (1943), p. 377, et J. GREVEN, *Die Anfänger der Beginnen*, Munster i. W., 1912. Nombreuses furent les recluses et les béguines qui entretinrent des rapports avec les cisterciens ; mais ces relations furent toujours dues à des initiatives particulières. Jamais le Chapitre général ne promulgua de législation positive en la matière, et un décret (n° 28) de celui de 1279 interdira même aux abbés de donner l'habit cistercien aux recluses et de leur conférer une bénédiction qui les affilierait à l'Ordre. Il semble d'ailleurs que ce décret n'ait guère été observé (cf. O. DOERR, *op. cit.*, p. 61). L'histoire a retenu le nom de plusieurs de ces recluses qui dépendaient de l'Ordre cistercien : la Bse Hazeka († 1261) qui vivait sous l'obédience de l'abbé de Sichem, et dont il est dit expressément qu'elle vécut et mourut portant l'habit cistercien (cf. *Acta SS.*, janv., III, p. 756 ; cf. *Ibid.*, p. 373) ; la Bse Yvette († 1228), qui relevait de l'abbé d'Orval (cf. *Acta SS.*, janv., II, p. 145-169) ; la Bse Alpaïs de Cudot († 1211) (cf. *Acta SS.*, nov., II, pp. 167-209, et *D. H. G. E.*, t. II, col. 673-674) ; la recluse Heylika (cf. *Acta SS.*, janv., II, p. 212).

1. D. KNOWLES, *The monastic Order in England*, Cambridge, 1941, p. 241.

religieuses sont allées se rafraîchir au cours des siècles. Car ce traité fut écrit pour ces âmes et leurs émules, dont le désir est moins « de se répandre que de s'approfondir, de s'épuiser que d'être comblées[1] ».

Aux aperçus que maints passages du *De institutione inclusarum* nous livrent sur ce que fut la vie de prière de l'abbé de Rievaulx, la *Prière pastorale* apporte un précieux complément. Aussi avons-nous cru utile de reproduire dans le présent volume ce texte si attachant, publié naguère par Dom Wilmart.

I. Occasion du *DE INSTITUTIONE INCLUSARUM*

Les chercheurs qui tour à tour se sont penchés sur les manuscrits et les éditions du traité d'Aelred sur la vie de recluse, le qualifient volontiers de charmant et de délicieux. Un moine écrit à sa sœur, et le style direct d'une lettre contribue certes au charme qui s'en dégage ; mais l'abbé de Rievaulx compose sous le regard de Dieu et laisse à tout moment libre cours à son enthousiasme ou à sa prière. Des auteurs cisterciens — et ces remarques vaudraient pour toute l'école monastique au Moyen Age — Dom Anselme Le Bail a écrit : « Ceux-ci ne peuvent conserver dans leurs écrits ou leur parole le cours tout uniment didactique du professeur ; il faut qu'ils coupent leur exposé par des prières, par des élévations à Dieu, par des chants de louange... Nous pouvons donc estimer que ce mode d'élocution est aussi une synthèse à sa manière.. Peut-être même devons-nous voir en ce style la quintessence de la spiritualité cistercienne aux XIIe et XIIIe siècles : elle cherche Dieu, et sitôt l'illumination aperçue, le cœur éclate en chants de louange[2] ». Ce sont ces élans de ferveur,

1. *De inst. incl.*, **28**, p. 109.
2. Dom A. Le Bail, « La spiritualité cistercienne », dans *Les cahiers du Cercle thomiste féminin*, n° 7 (1927), p. 491.

de componction ou de gratitude envers Dieu, qui font l'unité de ces pages.

Aelred use de termes exacts, originaux sans recherche ; il sait être piquant et s'exalter sans dépasser la mesure : une description de moine ou de recluse, une confidence sur sa vie passée, la présentation d'une scène d'évangile nous font sentir chez lui ce « je ne sais quoi » du poète et de l'artiste.

Cependant, l'Abbé de Rievaulx ne composait pas volontiers. Nous le voyons tarder à répondre à l'invitation de saint Bernard pour le *Speculum caritatis*, dans lequel il finit par rassembler des lettres, un écrit de polémique et des notes de noviciat[1] ; le *De spirituali amicitia* est une suite d'entretiens dont les participants lui ont demandé un souvenir[2] ; le *De Jesu puero* est une lettre de direction à un jeune moine[3] ; les sermons sur Isaïe, *De oneribus*, sont donnés à la demande expresse de ses moines[4]. Quand on a fait la part de la fiction littéraire, il reste qu'Aelred attend le stimulant d'un auditoire ou d'un correspondant, ce qui donne à ses ouvrages un ton direct et vivant, et les rend plus universels, finalement, que tant d'écrits anonymes dont l'idéal est de s'abstraire de ces contingences.

---

1. C. H. TALBOT pense que, lorsqu'il compose, Aelred commence souvent par faire un schéma sur lequel il brode ensuite ; cf. AELRED DE RIEVAULX, *Sermones inediti* (éd. Talbot), Rome, 1952, Introduction, pp. 8-9 ; voir également Dom A. HOSTE, « The first draft of Aelred of Rievaulx : *De Spiritali Amicitia* », dans *Sacris erudiri*, X (1958), p. 186-211. D'autre part, on comparerait volontiers plusieurs de ses ouvrages à ces volumes dans lesquels certains auteurs modernes rassemblent divers articles ou conférences.

2. « La composition du premier entretien a dû précéder de beaucoup celle des deux suivants » (J. DUBOIS, dans AELRED DE RIEVAULX, *L'Amitié spirituelle*, Bruges, 1948, Introduction, p. xciii).

3. Cf. AELRED DE RIEVAULX, *Quand Jésus eut douze ans* (éd. « Sources chrétiennes », 60), Introduction, p. 14.

4. C. DUMONT, « Autour des sermons *De oneribus* d'Aelred de Rievaulx », dans *Collectanea O. C. R.*, XIX (1957), p. 115.

C'est donc sur les instances réitérées de sa sœur recluse, pour laquelle il nourrit une tendre vénération, qu'il rédige ce règlement qu'elle lui avait demandé. « Il écrivit pour sa sœur, dit son biographe en donnant la liste de ses écrits, un ouvrage à l'intention des recluses, dans lequel il décrit l'institution de cet état, sa ferveur des débuts et sa perfection[1]. »

1. WALTER DANIEL, *The Life of Ailred of Rievaulx* (éd. F. M. Powicke), Londres, 1950, p. 41. L'authenticité du traité ne fait donc aucun doute ; au témoignage de Walter Daniel s'ajoute d'ailleurs celui du catalogue de la bibliothèque de Rievaulx, rédigé peu après la mort d'Aelred, qui lui attribue un traité *De institutione inclusarum* (cf. M. R. JAMES, *A descriptive Catalogue of the Manuscripts in the Library of Jesus College*, Cambridge, 1895). Néanmoins, c'est sous le patronage de S. Augustin ou de S. Anselme (pour la triple méditation) que les premiers éditeurs placèrent l'ouvrage. Le ms. *Mazarine* 616 (xves.) attribuait déjà le traité à S. Anselme, et dès le xive siècle la triple méditation était entrée dans une collection de méditations anselmiennes : elle constitue les Méditations XV, XVI et XVII de l'édition de Gerberon (dans *P. L.*, 158, 784-798). L'ancien catalogue de Christ Church, Cantorbery (xive s.) met le traité sous le nom de S. Augustin. C'est vraisemblablement par suite d'une conjecture d'éditeur qu'il figure également sous ce patronage dans l'édition de Paris (1558) des œuvres de S. Augustin, d'où il est passé dans celles de Louvain (1577) et des Mauristes, (t. I, Appendix, col. 43-56, Paris, 1689) ; ceux-ci le restituent toutefois à son véritable auteur à la suite de HOLSTENIUS, *Codex Regularum*, Rome 1661, p. 187-239 *(pars secunda)*. La *Patrologie Latine*, 32, 1451-1474, reproduit l'édition des Mauristes. Ce texte du Pseudo-Augustin est incomplet : il a été amputé de la Méditation des bienfaits présents. Sur toute cette question, voir C. H. TALBOT, « The *De institutis inclusarum* of Ailred of Rievaulx », dans *Analecta S. O. C.*, VII (1951), p. 167-168.
Plusieurs manuscrits donnent pour titre au traité : *De institutis inclusarum* ou *De vita inclusarum* (cf. C. H. TALBOT, *art. cit.*, pp. 175-177) ; cependant, l'ancien catalogue de Rievaulx cité plus haut et un certain nombre de manuscrits donnent : *De institutione inclusarum*. A cela s'ajoute le témoignage d'Étienne de Salley qui recommande aux novices l'opuscule d'Aelred« quod Institutio inclusae titulatur » (cf. E. MIKKERS, « Un *Speculum Novitii* inédit d'Étienne de Salley », dans *Collectanea O. C. R.*, VIII [1946], p. 52, l. 244). « On peut donc conclure avec Dom Wilmart : ' Le titre primitif est sûrement *De*

II. Analyse du traité

Comme le ferait un auteur moderne, Aelred a dressé sa
table des matières à la fin de son traité. « Te voilà donc en
possession, dit-il à sa sœur, de ce que tu m'as demandé :
1) un règlement de vie ; 2) un directoire ascétique ; et
j'ajoute : 3) un exemple de méditation. »

Cette méditation, Aelred l'a à son tour divisée en trois
considérations sur les bienfaits de Dieu : a) passés (memoria) ; b) présents (experientia) ; c) futurs (expectatio)[1].

1. Le Règlement de vie

L'institution   L'Abbé de Rievaulx s'efforce de
                           justifier ce genre particulier de vie
religieuse qu'est le reclusage, et pour ce faire il énumère
les raisons qui poussèrent les anciens à instituer la vie
érémitique : « Échapper aux dangers de la vie en société,
éviter ses ennuis ou bien s'en libérer pour soupirer et
languir plus à loisir après l'étreinte du Christ[2] ». Un idéal
aussi ambitieux que l'érémitisme a des exigences auxquelles
il n'est pas facile de satisfaire ; aussi Aelred laisse-t-il libre
cours à son humour pour décrire quelques travers des
« recluses de notre temps ». En bon cistercien, convaincu

institutione inclusarum ' » (Dom A. Hoste, « Marginalia bij Aelred's
De institutione inclusarum », dans Cîteaux in de Nederlanden, IX
[1958], p. 133).

1. De inst. incl., **33**, p. 169 et 165.
2. De inst. incl., **2**, p. 45. Ce passage est cité par le ms. Oxford, Bodl.
lat. theol. d. 27 (xve s.) parmi d'autres témoignages sur la vie érémitique. Il est ainsi introduit : « Qua de causa quae ratione vita
inclusionis ab antiquis instituta sit vel usurpata quidam sensatus
inter alios quamplures tractans de illa vita sic dicit : Sunt quidam...
vivere delegerunt » (fol. 200). Ce même manuscrit contient aussi le
présent traité (fol. 181-196).

des avantages de la vie commune, il n'est pas tendre pour les faiblesses qu'il a rencontrées. La recluse qui fait la classe, ou celle qui, telle une douairière, ne songe qu'à agrandir son domaine, autant de fins croquis où se déploie une verve piquante.

Le règlement   Il n'y a pas lieu de commenter ici les particularités de cette règle. Dom Gougaud l'a étudiée dans son ouvrage *Ermites et Reclus*[1]. C'est une adaptation de la règle de saint Benoît, dont on reconnaîtra facilement l'ordonnance générale et, à de nombreux détails, l'interprétation cistercienne telle qu'elle devait être donnée au noviciat de Rievaulx. On notera les digressions « plus spirituelles » qui émaillent ce règlement. Le silence, l'éloignement du monde sont destinés à « sauvegarder cette tranquillité d'âme et cette paix du cœur » qui préparent aux visites divines. Le Dr Talbot a relevé des allusions discrètes à la vie mystique et notamment la mention de la prière de « celui qui ne sait plus qu'il prie », réminiscence de saint Antoine et de Cassien[2].

2. Le Directoire ascétique

La seconde partie du traité est consacrée à la vie morale : vices et vertus. La place occupée par la chasteté et ses combats y semble exagérée et les rigueurs excessives de la mortification corporelle, données comme remède infaillible, ne seront reçues qu'avec réserve. L'exposé sur l'humilité est rempli de fines remarques. Il y a aussi dans cette section un long et pittoresque parallèle entre la vie chrétienne et le travail du lin. Cette méditation sur la nappe

1. Dom Gougaud, *Ermites et reclus*, p. 102-113.
2. C. H. Talbot, « Le mysticisme du traité *De institutione inclusarum* de Saint-Elrède » *(sic)*, dans *Collectanea O. C. R.*, VI (1939-1940), p. 251.

d'autel est introduite par une de ces attaques, dont Aelred
est coutumier, contre les ornements superflus de l'oratoire,
plus destinés à flatter la frivolité qu'à inspirer la dévotion.

La dévotion   En fait d'images, l'Abbé de Rie-
au crucifix   vaulx ne veut que le crucifix, qui peut
être encadré de la Vierge et de saint Jean. « Dans la pensée
des mystiques du XIIᵉ siècle, promoteurs de cette dévotion,
écrit E. Dumoutet, il ne s'agissait pas d'un regard éphémère
mais d'une contemplation appuyée, profonde ; écoutons
Aelred...[1] », et l'auteur cite le passage de la *Lettre à sa
sœur*[2]. Aelred appelle le crucifix « le miroir du chrétien[3] »,
« l'image de la vérité peinte sur la croix », comme dit son
biographe qui, parmi une foule de détails conventionnels
à propos de la méditation de son abbé, semble pourtant
nous avoir donné une idée de la dévotion d'Aelred au
crucifix quand il écrit que « sa méditation était comme un
très long fil qu'il passait par le Christ crucifié et dont il
ramenait le bout jusqu'au trône de Dieu le Père. Le fil,
c'était son *intentio*, et la pointe qui le conduisait, son
intelligence[4] ». C'est surtout devant le crucifix que la
méditation dont nous parlerons plus loin prend toute sa
signification d'évocation de présence : « Vous qui voyez,

---

1. E. Dumoutet, *Le Christ selon la chair et la vie liturgique*,
Paris, 1932, p. 24.

2. *De inst. incl.*, **26**, p. 105.

3. *Serm. I, in Ramis Palm.; P. L.*, 195, 263 D : « Iam ipsa crux
Christi sit quasi speculum christiani. »

4. Walter Daniel, *The Life of Ailred of Rievaulx* (éd. F. M.
Powicke), p. 19. Walter Daniel rapporte qu'il assista Aelred agoni-
sant et lui dit : « Regardez la croix, Révérend Père, et que vos yeux
soient là où est votre cœur. Aussitôt il leva les paupières et tourna
les yeux vers l'image de la Vérité peinte sur la croix (ad figuram
veritatis depictam in ligno) », *ibid.*, p. 61. Selon les statuts de Cîteaux,
le crucifix était un Christ peint sur une croix de bois ; dans le *De
institutione inclusarum*, il s'agit peut-être d'un crucifix sculpté, car
Aelred emploie le terme *imago*, qu'il avait distingué, au début de ce
paragraphe, de *pictura*.

dit-il, et considérez comme en votre présence Jésus-Christ sur la croix, qui voyez ces bras étendus comme pour vous embrasser[1]. » « Les images, écrit-il à sa sœur, doivent donc donner occasion à des élans d'amour et non pas devenir un étalage de vanité. Elles doivent toutes te ramener à l'unité. »

L'unité   L'unité, cette nostalgie des mystiques depuis saint Jean, inspire à Aelred un très bel élan : « Cette unité qui ne se trouve qu'en l'Unique, auprès duquel il n'est ni changement, ni ombre de vicissitude. » L'influence néo-platonicienne se fait sentir ici à travers saint Augustin. Notre auteur a traité de cette unité dans tous ses ouvrages. Dans le *Miroir de la Charité* par exemple : « quand tout ce que nous sommes ne fera plus qu'un avec Dieu : un dans l'Un, avec l'Un, par l'Un, ne sentant et ne goûtant plus que l'Un, et parce qu'unifiés à jamais, à jamais dans la paix[2]. » De même dans le traité de l'*Amitié spirituelle* : « Un ami qui adhère à son ami dans l'esprit du Christ ne fait plus avec lui qu'un seul cœur et une seule âme ; ainsi, par les degrés de l'amour, se haussant à l'amitié du Christ, il devient un seul esprit avec Lui[3]. »

La charité   Après cette élévation à l'unité, Aelred en vient tout normalement à traiter de la charité. Une belle image, et combien féminine, en exprime la vertu unifiante : c'est comme la frange dorée qui borde et « finit » la robe multicolore de toutes les vertus. Un développement similaire se retrouve dans l'*Amitié spirituelle* où toutes les vertus sont aussi ramenées à la charité. « Toutes les vertus se fondent dans la plénitude

1. *Sermo XI, in die sancto Paschae ; P. L.*, 195, 272 A.
2. *Spec. car.*, III, 1 ; *P. L.*, 195, 576 D. Voir aussi *ibid.*, I, 5 ; 509 C : « Ut quid multa ? Quidquid appetis in multis, in uno est. »
3. *De spir. amic.*, II ; *P. L.*, 195, 672 D.

de la charité[1]. » C'est ici, croyons-nous, qu'Aelred, traitant
de la distinction de l'amour de Dieu et du prochain, répond
à une question précise qu'a dû lui poser sa sœur. Le même
problème se retrouve dans l'*Amitié spirituelle* à propos
de l'aide pécuniaire que se doivent les amis : « Mais nous,
dit Gautier, qui n'avons pas la permission de recevoir ni
de donner quoi que ce soit, comment remplirons-nous ce
devoir de l'amitié spirituelle[2] ? » L'abbé y répond comme
il le fait ici : « Qu'ils aient le souci les uns des autres, qu'ils
prient les uns pour les autres. » Quant à la recluse, elle est
complètement dispensée des œuvres de miséricorde. L'or-
ganisation de la charité appartient au clergé et même dans
les monastères, dont la vie tient pourtant dans une assez
large mesure de celle de Marthe, il y a des préposés aux
aumônes et à l'hospitalité. « Qu'elle rassemble tous les
malheureux au creux de son amour et qu'elle prie pour
eux... » L'admirable prière, en vérité, où l'on croit entendre
un écho de ces longues oraisons liturgiques pour tous les
états de la chrétienté[3].

On passe ensuite à une autre distinction qu'il ne faut
pas confondre avec la précédente, celle de l'amour effectif
et de l'amour affectif. L'amour effectif, ou « charité pratique », est la vie vertueuse, manifestation et résultat de
l'ascèse. Ayant traité de l'ascèse dans son règlement de vie,

1. *Spec. car.*, I, 31-32 ; *P. L.*, 195, 535 D-537 B, et *ibid.*, 33 ; 538 B :
« Ita tunc caeterae virtutes in caritatis plenitudinem sese refundent,
ut in illa felicitate nihil aliud temperantia, prudentia, fortitudine
putetur quam caritas. »

2. *De spir. amic.*, III ; *P. L.*, 195, 694 D.

3. Cf. S. BERNARD, *Sermo de conversione*, édité par Dom
J. LECLERCQ, *Deux sermons de S. Bernard selon une rédaction inédite*,
dans *Analecta monastica*, I, p. 133 : « Fac eleemosinam si non potes de
terrena substantia, saltem *de voluntate bona* » ; et BAUDOUIN DE
FORD, *Tract. I, de SS. Sacramento Euchar.; P. L.*, 204, 411 C :
« Compassio autem misericordiae semper benevola est, etsi per inopiam
rei familiaris non semper benefica ; ideoque *in sola voluntate*
nonnunquam consistit. »

Aelred aborde ensuite les vertus morales, qui en sont les fleurs[1]. Cette purification de la vie morale prépare à son tour à l'amour affectif : charité théorique, ou contemplation, qui est le couronnement des exercices spirituels, et tout spécialement de la méditation. On voit donc l'agencement de la vie spirituelle : ascèse, vertus, méditation, contemplation et vie mystique.

3. La Méditation

On s'interdirait la pleine intelligence de la méditation médiévale, monastique et cistercienne, si arbitrairement on l'isolait de l'ensemble de la discipline dans lequel elle s'intègre. Aelred distingue ordinairement deux catégories d'exercices : ceux du corps et ceux de l'esprit. Les jeûnes, les veilles et le travail sont les *corporalia* ; la « lectio » l'oraison et la méditation, les *spiritualia*. Chacun de ces exercices vient en son temps et a sa valeur respective ; une « salutaire alternance » procure à cette vie un sain équilibre qui favorise la réflexion sur les grandes vérités humaines et chrétiennes qui doivent guider l'action et éclairer l'intelligence et le cœur[2].

On l'a fait remarquer naguère, les *exercices spirituels* prennent leur source dans cette discipline monastique, « et l'on entend bien par exercices l'application à une méditation déterminée, répondant à un propos de conversion ou de progression spirituelles, comportant des examens de conscience, s'achevant par des résolutions et des prières,

---

1. Cf. *De Iesu puero*, II, 12 ; III, 19-20 ; *S. C.*, 60, p. 75, 93 (Hoste-Dubois).
2. Cf. A. SQUIRE, « Aelred of Rievaulx and the monastic tradition concerning action and contemplation », dans *Downside Review*, XXII (1954), p. 301, et C. DUMONT, « L'équilibre humain de la vie cistercienne d'après le Bx Aelred de Rievaulx », dans *Collectanea O. C. R.*, XVIII (1956), p. 177-189.

des demandes de grâces pour ce faire[1] ». On se rendra
compte, à la lecture du traité, combien il répond à cette
description et comme il en réunit tous les éléments. Il est
facile de s'imaginer comment l'abbé de Rievaulx pratiquait
lui-même ces exercices spirituels : tous ses écrits en sont
comme un fidèle reflet. Il a la Bible sous les yeux, il lit
lentement, un mot le frappe, de son cœur jaillit une courte
invocation, l'*oratio* : demande de grâce de ferveur. Puis son
esprit se laisse aller à la méditation, l'imagination ayant ici
le rôle essentiel ; ensuite vient une concentration de la
pensée qui se fixe sur une vérité intimement vécue,
« réalisée », jusqu'à ce que l'esprit soit ravi pour un instant
en l'unité d'un acte de contemplation pure.

Semences de méditation   Un des grands soucis des maîtres
spirituels du Moyen Age est de maîtri-
ser, par un entraînement de l'esprit, les imaginations
déréglées et les divagations des désirs. Aelred a décrit ce
désordre de la vaine curiosité, de la science inutile, de la
fausse philosophie qui mêle les Bucoliques aux Évangiles,
qui confond Horace parmi les prophètes et Tullius avec
Paul. On écrit des vers, des chansons d'amour, et c'est
tout cela qu'Aelred appelle des *seminaria vanitatis*, des
pépinières de vanité[2]. On lira la fine description psychologique qu'il donne du résultat désastreux des bavardages
de la recluse à sa fenêtre : laissée à elle-même, tout prend
des proportions fantastiques. Par contre, les mystères du
Christ « répandent dans l'esprit de riches semences de

1. A. Le Bail, « Les Exercices spirituels dans l'Ordre de Cîteaux »,
dans *R. A. M.*, XXV (1949), p. 260.
2. *Spec. car.*, II, 24 ; *P. L.*, 195, 573 C. Aelred nous dit qu'il s'as-
treignit à écrire certaines réflexions rassemblées dans le *Speculum*
pour brider une imagination trop riche et en contenir les divagations :
« ... propria me coegit necessitas... vagos et inutiles luxuriantis animi
mei excursus harum meditationum vinculis alligare necessarium
duxi » (*ibid.*, III, 41 ; 620 D).

méditation[1] » et « chassent les mauvaises pensées[2] ». Ce que
se propose Aelred dans la méditation-type qu'il envoie à
sa sœur, comme dans celle du *De Jesu puero*, ressemble un
peu à ce que fait la bavarde avec ses histoires romanesques :
il meuble l'esprit d'images qui, à la réflexion, vont s'animer,
toucher le cœur et le préparer à l'amour affectif et aux
saints désirs[3].

Mémoire et présence   La quête de la présence du Seigneur
dans le souvenir de ses mystères est
le ressort de la méditation chrétienne. Le thème bien
cistercien *memoria-presentia* a trouvé dans l'auteur de
l'hymne *Dulcis Jesu memoria* un poète qui peut-être n'est
autre qu'Aelred de Rievaulx lui-même[4]. La mémoire joue
un rôle de premier plan dans sa spiritualité, et il suit en
ceci son maître saint Augustin. Après une évolution que
nous n'avons pas à rappeler ici, saint Augustin en vint à
considérer la mémoire comme le fondement de toute vie
spirituelle. Par la mémoire, présence de l'être à lui-même,
l'âme a le souvenir latent de sa propre nature, et, en s'appro-
fondissant, elle atteint la présence immanente de Dieu[5].
Cette doctrine augustinienne sur le rôle de la mémoire,
centre de l'âme, correspondant au Père dans la trinité,
ne semble guère avoir influencé saint Bernard ; par contre,

---

1. *Sermones inediti* (éd. Talbot), p. 104.

2. *Ibid.*, p. 76. Sur la fixation des pensées, voir aussi *Spec. car.*,
III, 3 ; *P. L.*, 195, 578 D, et *Sermo XXIX de Oner.* ; 483.

3. Antithèse de *De inst. incl.*, 4, p. 51.

4. Cf. A. WILMART, *Le « Jubilus » dit de saint Bernard*, Rome, 1944,
p. 225.

5. Cf. É. GILSON, *Introduction à l'étude de S. Augustin*, Paris, 1931,
p. 130. Le même auteur note, à propos de S. Bernard, dans *La théologie mystique de S. Bernard*, Paris, 1934, p. 104 : « Cette idée très
importante, que la *memoria*, entendons par là la mémoire, le souvenir
sensible de la passion du Christ, est en nous la condition et l'annonce
de la *praesentia*, c'est-à-dire, au sens plein, de la vision béatifique
dans la vie future, mais aussi déjà de ces visitations de l'âme par
le Verbe en cette vie. »

Guillaume de Saint-Thierry et notre Aelred en font une
pièce maîtresse de leur système. Ce dernier parlera de la
présence de Dieu dans la mémoire selon le schéma augus-
tinien : « Praesentia Dei in memoria, cognitio in ratione,
amor in voluntate[1]. » « La mémoire d'Adam, dira-t-il
encore, était comme une étreinte de l'âme qui retenait Dieu
sans pouvoir l'oublier[2]. » Or, voici qu'à la place de Dieu,
qui seul devrait occuper cette partie intellectuelle de notre
mémoire, les simulacres d'Égypte l'ont envahie[3].

Mais dans l'utilisation qu'Aelred fait de la théorie
augustinienne, il introduit un élément nouveau. Le souvenir
de Jésus se développe parallèlement et finit par s'identifier
à la *memoria Dei*. Un passage du *Miroir de la charité* est
très suggestif de cette transposition. Ayant fait une méditation sur le crucifix, il s'écrie : « Ah ! que cette pensée de
Jésus crucifié occupe donc ma mémoire », et il enchaîne :
« car cette mémoire, c'est la *memoria Dei*, qui n'est que
cachée dans l'esprit, non ensevelie, de sorte que c'est moins
une chose neuve qui surgit qu'une chose ancienne que tu
sens restaurée[4] ». La *memoria Dei* est devenue la *memoria
Christi*.

La mémoire est en quelque sorte la faculté de méditer.
« Les cités du monde, dit-il dans son commentaire sur
Isaïe, ce sont les méditations de notre mémoire, car tout
ce qui se trouve dans le monde corporellement peut être
saisi imaginativement par la mémoire[5] », et à propos de la
Sainte Vierge qui « gardait toutes ces choses dans son
cœur » : « memoria conservabat, meditatione ruminabat[6] ».

La restauration de la mémoire, qui a perdu en Adam,

---

1. *Sermones inediti* (éd. Talbot) p. 38 ; cf. *Spec. car.*, I, 3 ; *P. L.*,
195, 507-508, et *Sermo III de Oner.;* 371 D.

2. *Sermones inediti* (éd. Talbot), p. 38.

3. *Sermo VIII, in Annunt. B. V. M.; P. L.*, 195, 258 A.

4. *Spec. car.*, I, 5 ; *P. L.*, 195, 510.

5. *Sermo XX de Oner.; P. L.*, 195, 440 D.

6. *De Iesu puero*, I, 9 ; *S. C.*, 60, p. 66 (Hoste-Dubois).

nous l'avons vu, le souvenir continuel de Dieu, se réalise
au contact de l'Écriture : « Reparatur tandem memoria
per sacrae scripturae documentum[1]. » Et par l'Écriture,
c'est toute la liturgie qui devient évocatrice de la présence
du Christ. Il existe un passage spécialement important à
ce sujet, qui se retrouve textuellement dans deux sermons,
et qui n'est pas sans intérêt pour la théologie de la liturgie :
« Le Christ, mes frères, nous visite par ses serviteurs, ou
par sa Mère très chère, ou, ce qui est mieux encore, en
personne. Que sont toutes ces fêtes de saints que nous
célébrons si souvent, sinon des visites du Seigneur ? Et
parce qu'il était expédient que nous ayons toujours à la
mémoire les bienfaits que nous a valus sa présence corporelle
et parce qu'Il sait que notre mémoire est corrompue par
l'oubli, Il a voulu dans sa bonté que ces bienfaits ne nous
soient pas seulement rappelés *(re-citarentur)* par l'Écriture,
mais qu'Ils nous soient également représentés *(re-prae-*
sentarentur) par certaines actions spirituelles. Ainsi quand
il donna le sacrement de son corps et de son sang, il leur
dit : « Faites ceci en mémoire de moi. » C'est pour cette
raison, frères, que ces fêtes ont été instituées dans l'Église
de Dieu, pour que, représentant sa naissance, sa passion,
sa résurrection ou son ascension, nous ayons toujours
présentes à la mémoire la bonté, la douceur et la charité
qu'Il nous a témoignées en tout cela[2]. » Le sacrement de la
« présence réelle » est aussi le « mémorial du Seigneur ».
Il est relativement rare de voir mentionnée l'Eucharistie
chez les cisterciens ; ne serait-ce pas qu'ils en parlent
rarement tant ils en vivent ? En tout cas, c'est de ce centre
eucharistique que rayonne tout ce système sacramental
qu'est la méditation évocatrice de présence[3].

---

1. *Spec. car.* I, 5 ; *P. L.*, 195, 509 B.
2. *Sermo XXIII, de omn. sanctis; P. L.*, 195, 339 D-340 A, et
Sermo VIII, in Annunt. B. V. M. ; 251 B.
3. Cf. *Sermo XI, in die sancto Paschae;* 272 D, et *Sermo II, in*
Nat. Domini; 227 A. L'emploi du verbe *repraesentare* à propos de la

La triple méditation　　M. Gilson a montré la place qu'occupe l'ascèse de la pensée dans la
discipline cistercienne : « A part les variations inévitables
d'un thème familier que saint Bernard a repris tant de
fois, écrit-il, l'ordre qu'il recommande de suivre reste
constant. Il est d'ailleurs imposé par la nature du problème :
Recole primordia, attende media, memorare novissima tua[1]. »
Nous trouvons de même chez Aelred, en plus de la présente
méditation, plusieurs exemples de cette réflexion sur les
trois temps : passé, présent et futur. C'est un schème
mnémotechnique autour duquel les considérations se
groupent, un ordre selon lequel la pensée procède. L'application en varie fort. Dans l'*Oraison pastorale*, il s'agit
« des traces des péchés, des périls présents et des craintes
pour l'avenir[2] ». Dans un curieux sermon, où il se demande
pourquoi il n'y a pas de fête du Père, il montre que seules
les œuvres du Fils et du Saint-Esprit appartiennent à cette
vie : la rédemption dans le passé, la justification dans le
présent, tandis que l'œuvre de la glorification reste réservée
au Père dans l'avenir[3]. C'est évidemment dans l'Écriture
que cette triple méditation trouve son aliment : « Dans
la parole du Seigneur, nous nous souvenons, nous contem-
plons le présent et nous prévoyons le futur. Au passé,
appartient l'œuvre de la création, au présent, la rédemption

---

liturgie est constant ; voir *Sermo I, de Adv. Domini;* 209 *passim*, et
Sermo X, in Ramis Palm. (qui est en réalité un sermon pour l'Avent) ;
264 B.

1. É. GILSON, *La théologie mystique de S. Bernard*, p. 91. L'auteur
cite seulement, sans donner la référence, *Sermo XII de div.*, 1 (*P. L.*,
183, 571 A). On peut ajouter : *Sermo III pro Dom. VI post Pent.*, 6 ;
loc. cit., 344 B, et *De consid.*, V, xiv, 32 ; *P. L.*, 182, 806 C-D. On
trouve souvent aussi chez S. Bernard la méthode des interrogations :
quid, quis, qualis; infra te, circa te, supra te..., cf. *De consid.* II, iii, 6 ;
746 C ; *Sermo I in Cant.*, 5 ; *P. L.*, 183, 787 A-B ; *In Psalm. XC,
sermo XII, 4* et *XVI, 4* ; 232 D, 249 B.

2. *Orat. pastor.*, **5**, p. 179.

3. *Sermones inediti* (éd. Talbot), p. 105.

et au futur la rémunération[1]. » Aelred nous donne de ce
travail de pensée une amusante allégorie : les cheveux de
Samson, qui sont ses pensées et qui font sa force. Ils sont
sept : deux du passé : création et rédemption ; deux du
futur : damnation et rémunération ; trois du présent :
notre infirmité, la bonté de Dieu et les expériences que nous
en avons faites[2]. Un certain sens de l'historicité de l'œuvre
divine pénètre ainsi toute méditation. C'est le même dessein
de Dieu qui se poursuit de la rédemption à la glorification.
La considération d'un des temps de l'histoire du salut
éclaire les autres. « Celui qui a tant fait pour les siens en
cette vie, que ne leur réserve-t-il pas en l'autre ? » Aelred
suggère un peu ceci dans son reportage de la bataille de
l'Étendard. Il fait prononcer à Walter Espec un discours
à la manière de César : « Les vicissitudes des temps, les
changements de rois et les accidents de la guerre m'ont
appris à réfléchir au passé et à juger le présent. J'ai appris
à juger le présent d'après le passé et à partir du présent à
conjecturer l'avenir[3]. » Dans notre traité, la triple méditation considère, comme dans un sermon sur l'Annonciation,
« ce que le Christ a fait pour nous dans le passé, le pardon
qu'Il nous accorde en cette vie, et le bonheur qu'Il nous
promet pour la vie future[4] ».

La dévotion tendre   « Celui qui expose aux autres la
à l'humanité   parole de Dieu, disait l'Abbé de
du Christ   Rievaulx, ne doit pas faire montre de
science, il ne doit penser qu'à édifier ceux qui l'écoutent[5]. »
La sagesse qu'on recherche à Rievaulx, c'est la sagesse qui
sauve : *mysterium sapientiae salutaris*[6]. Cette Sagesse
s'est faite Homme.

---

1. *Ibid.*, p. 31.
2. *Sermo XXII de Oner.; P. L.*, 195, 452 D.
3. *De bello Standardii; P. L.*, 195, 704 D.
4. *Sermo VIII, in Annunt. B. V. M.; P. L.*, 195, 251 C.
5. *Sermo XIV, de S. Joan. Bapt.;* 290 B.
6. *De Iesu puero*, I, 5 ; *S. C.*, 60, p. 56 (Hoste-Dubois).

« Ce qui caractérise l'école monastique, c'est que l'initiative appartient au Christ, auteur de toute vérité. La vérité était au paradis l'*eruditor*. Dans le péché l'homme a perdu sa ressemblance avec Dieu... Exilé et égaré dans le monde des choses sensibles, qui de soi ne sont pas, comme celles de l'esprit, le reflet de Dieu, il en est réduit pour sa confusion à mendier aux créatures le soin de guider son retour à Dieu... L'Incarnation, qui va redresser l'homme déchu, aura dès lors un rôle vraiment pédagogique[1]. » C'est la raison pour laquelle tous les faits et gestes du Christ sont « sacrements », c'est-à-dire signes de salut.

Saint Bernard a dit que le principal motif de l'Incarnation avait été le dessein de Dieu de toucher le cœur des hommes par l'humanité du Christ[2]. Cette opinion théologique est des plus importantes pour l'orientation que prendra sa spiritualité et celle de son école. Car la méditation de la vie de Jésus est dès lors la voie vers l'amour de Dieu. Plus cette connaissance sera vivante et humaine, plus elle sera efficace ; toutes les possibilités des sens, de l'imagination et même de l'émotion seront mises à contribution[3].

La méditation aelredienne peut être aussi considérée sous l'angle psychologique. L'union du corps et de l'âme est un problème qui occupa beaucoup les cisterciens. La solution qu'Aelred en donne dans son *De anima*, tout élémentaire qu'elle est, se rapproche étonnamment de la psychologie contemporaine : interactivité du corps et de

---

1. P. Delfgaauw, *Saint Bernard, maître de l'amour divin* (dissert. dactylogr.), Rome, 1952, p. 39. Sur cette *eruditio*, voir *Serm. II, VII* et *XVII de oner.; P. L.*, 195, 363 C, 387 B, 427 A.

2. S. Bernard, *Sermo XX in Cant.* ; *P. L.*, 183, 867 sq. Cf. aussi A. van den Bosch, « Présupposés à la christologie bernardine », dans *Cîteaux in de Nederlanden*, IX (1958), p. 5-17.

3. Cf. L. De Coninck, « Adaptation ou retour aux origines. Les *Exercices spirituels* de S. Ignace », dans *N.R.T.*, LXX (1948), p. 923 : « On a trop négligé cette première démarche de la contemplation, qui est l'imagination ; il faut y revenir. L'aridité spirituelle, le dégoût de l'oraison mentale pourrait bien s'expliquer par cette déficience ».

l'esprit en un point de rencontre qui se situe dans l'imagination et l'émotion. Il s'agit, dit Dom Leclercq, « d'une
forme d'activité qui n'est ni intellectuelle, ni corporelle,
mais intermédiaire entre la sensation et le concept
abstrait[1] ».

Outre ces points de vue dogmatique et psychologique,
on peut encore songer à l'esprit du temps, ce facteur
impondérable mais si important de toute spiritualité où
s'exprime vraiment le sentiment religieux d'une époque.
Le moine fait ce que font alors poètes et chevaliers : il
rêve aux faits et gestes de l'objet de son amour absent, il
se l'imagine avec complaisance, il évoque les lieux et les
mots de l'Évangile, il se représente le Christ. Il fait un
pèlerinage en esprit aux lieux saints : la grande dévotion
médiévale.

Cette dévotion tendre pour l'humanité du Christ n'est
pas qu'un attendrissement sentimental sur les détails
pathétiques de la crèche ou de la croix. Quand Aelred
s'émeut « d'un sentiment tendre pour la chair du Sauveur »,
c'est qu'il « se réjouit de voir avec des yeux spirituels le
Seigneur de majesté s'abaisser jusqu'à la crèche, prendre
le sein d'une Vierge et être couvert de ses baisers ». C'est
le mystère de l'amour condescendant de Dieu. Cette
méditation, où l'on scrute la présence du divin dans
l'humain, conduit infailliblement à l'imitation, effet
bien connu de la fréquentation d'un être aimé. Dans la
Méditation, Aelred mentionne par deux fois cette imitation.
On peut dire que c'est « une contemplation transformante »,
et que « le phénomène spirituel qu'elle prépare est du
mimétisme surnaturel », selon le mot du P. De Coninck[2].
« Alors ainsi purifiée (et conformée au Christ), l'âme passe

1. Dom J. LECLERCQ, *La spiritualité de Pierre de Celle*, Paris, 1946,
p. 141.
2. L. DE CONINCK, *Art. cit.*, p. 927.

au-delà du voile de la chair ; elle entre dans le sanctuaire, et le Christ Jésus devient esprit sous ses yeux ; et voici qu'elle est entièrement absorbée dans cette lumière indicible et cette douceur extraordinaire ; et le silence s'étant fait sur toutes choses corporelles, sensibles et changeantes, son regard se fige sur l'Un qui est, qui est toujours, qui est toujours semblable à lui-même[1]. » A la charnière de la méditation et de cette contemplation, dont Aelred décrit l'itinéraire, il met en incise : *tanto devotius quanto securius* : d'autant plus dévotement qu'elle passe ainsi à l'union à Dieu avec plus de sécurité. La méditation de la vie du Christ et son imitation qui en découle : telle est la voie la plus sûre vers Dieu.

La méditation sur les bienfaits passés : l'Evangile — Tous les faits et gestes du Christ sont porteurs de grâce, signes efficaces de réalités spirituelles. Aelred pratique l'exégèse allégorique, trop parfois à notre goût[2]. Mais dans la méditation pour sa sœur, il ne s'agit plus d'allégorie, et ceci est vraiment nouveau et original. On ne trouve rien de tout à fait semblable ni avant lui, ni parmi ses contemporains, ni même dans sa propre œuvre. Il s'agit ici de contempler simplement la scène évangélique en elle-même et pour elle-même, de se la représenter, de s'y rendre présent, de prendre part au drame, ou mieux, d'être pris par le dialogue ou l'émotion du moment. Ce qui est nouveau c'est que cet effort de représentation est soutenu jusqu'au

---

1. Cet itinéraire est décrit dans *Spec. car.*, III, 5 et 6 ; *P. L.*, 195, 581 C-583 D (surtout 582 D-583 A, cité ici); cf. également *Sermo III de Oner.;* 370 D-372 B.

2. Un exemple typique de sa méthode allégorique se trouve au sermon intitulé par erreur dans Migne *In Ramis Palmarum II* (*P. L.*, 195, 264 B), qui est un sermon pour le premier dimanche de l'Avent (au rit cistercien, on lisait ce jour-là à la messe l'évangile de l'entrée de Jésus à Jérusalem). Aelred essaie l'un après l'autre les quatre sens de l'Écriture avant de trouver une justification au choix de cet évangile.

bout, chaque scène d'évangile étant bien proportionnée et le passage de l'une à l'autre adroitement ménagé, la même méthode d'application des sens et de participation étant mise en jeu pour chacune d'elles. La méditation commence à l'annonce faite à Marie et finit à l'entrevue avec Marie-Madeleine. Tout au long de ce pèlerinage en esprit il faut faire des gestes, suivre le Christ partout, se mêler aux assistants, s'approcher de plus près, rencontrer son regard, entendre sa voix, baiser ses pieds, se laisser gagner par l'émotion au point de n'en pouvoir plus comme à la flagellation ou de se révolter quand Judas trahit. « Et au milieu de tant d'émotions, pense à son cœur si tendre !... » Tout l'homme est touché, affecté, ému. Tout sert à évoquer la présence du Christ dans le souvenir. « Le pain de notre pèlerinage ici-bas, c'est le mystère de l'Incarnation du Christ[1] » et « cette méditation assidue est comme la rumination d'une nourriture de salut[2] ».

La méditation sur les bienfaits présents Cette seconde partie de la méditation est composée dans l'esprit et le style des *Confessions* de saint Augustin. M. Pierre Courcelle a montré comment Aelred « profondément nourri des Confessions d'Augustin peut revivre avec lui les épisodes de sa propre existence et les présenter en conformité avec les chapitres augustiniens, ne fût-ce que par un sentiment intime de leur portée largement humaine[3] ». C'est ainsi, comme le rappelle encore M. Courcelle, qu'évoquant pour sa sœur « le temps de leur adolescence, il décrit ses propres passions à l'aide des deux premiers chapitres du second livre des Confessions... Le même passage sert

---

1. *Sermo IV, in Purific. B. V. M.; P. L.*, 195, 234 C.

2. *Sermones inediti* (éd. Talbot), p. 80. Cf. aussi, sur la méditation de la Passion, *Sermo XI in die sancto Paschae; P. L.*, 195, 275 D-276 A.

3. P. COURCELLE, « Ailred de Rievaulx à l'école des *Confessions* », dans *Revue des Études Augustiniennes*, VIII (1957), p. 174.

encore à peindre les passions de l'adolescent dans l'*Oraison pastorale* et dans les pages autobiographiques du *De spirituali amicitia*[1] ».

Le maladroit camouflage de son pieux biographe, déjoué immédiatement par deux contemporains, suffirait à nous convaincre de l'authenticité de confidences que l'hagiographe moderne n'essaye plus de falsifier, bien au contraire[2]. C'est cette même intention d'« édifier » qui a fait escamoter cette méditation du présent dans des manuscrits tardifs.

Néanmoins, les *Confessions* ne sont pas d'abord « une autobiographie, mais une méditation priante et philosophique sur les réalités de la vie humaine comme elles apparaissent dans la vie d'Augustin... La pensée augustinienne exprime le mouvement réel de l'âme, progressant par décisions, en la présence de Dieu... Pensée extraordinairement claire, puisqu'elle met sans cesse en lumière les différences essentielles qualitatives du Bien et du Mal, de Dieu et du Monde[3] ». Et c'est bien cela encore que nous trouvons dans ce chapitre de saint Aelred.

On notera, dans l'énumération des bienfaits présents, l'allusion aux grâces d'illumination des sens spirituels de l'Écriture[4], particulièrement caractéristique de l'expérience spirituelle des anciens moines.

---

1. *Ibid.*, p. 164.
2. Walter Daniel avait affirmé qu'Aelred avait vécu comme un moine à la cour d'Écosse. Deux prélats avaient aussitôt fait objection. Walter, dans sa *Lettre à Maurice*, donne une réponse fort embarrassée, expliquant qu'il faisait usage d'une figure de style ! Cf. WALTER DANIEL, *The Life of Ailred of Rievaulx* (éd. F. M. Powicke), p. 76.
3. P.-L. LANDSBERG, « Les sens spirituels chez S. Augustin », dans *Dieu vivant*, 11, p. 101.
4. L'illumination des sens spirituels était considérée comme une grâce et un signe de perfection spirituelle. Cf. p. ex. *De spir. amic.*, III (*P. L.*, 195, 692 A) et *Sermo XXVI de Oner.* (467 A-B), où l'on voit bien qu'il s'agit de l'intelligence spirituelle de l'Écriture.

La méditation des bienfaits futurs : eschatologie Le troisième panneau du triptyque est consacré à une méditation sur les fins dernières : la mort, l'enfer et le ciel. L'abbé de Rievaulx a souvent parlé de l'horreur de la mort[1], mais aussi de la foi qui en triomphe et qu'expérimente tout spécialement celui qui « soupirant sous le fardeau de notre servitude, aura connu un jour les brises plus pures de son âme plus libre ». Cette expression, qui se retrouve dans le *Miroir de la Charité* : « in auras conscientiae purioris citius respirabit », est encore une expression augustinienne[2]. Dans un sermon de Carême nous trouvons même des expressions qui font penser à la réminiscence platonicienne : « Oh, si nous avions toujours à la mémoire où nous étions et où nous sommes maintenant[3] ! » ; et plus loin il blâme ceux « qui prennent l'exil pour la patrie et

---

1. Cf. *Sermo I de Oner.*, 12 ; *P. L.*, 184, 823 C : « Sub hoc timoris onere totum vivit genus humanum... »

2. Voir *Spec. car.*, I, 21 (*P. L.*, 195, 570 C) : « ...in conscientiae serenitatem ac caritatis proficiet libertatem ; ...in auras conscientiae purioris citius respirabit » ; *ibid.*, I, 8 (512 D) : « sortitur pennas columbae deargentatas, quibus ad illud sublime et purum bonum evolet » ; *ibid.*, I, 34 (544 B) : « exuto huius carnis involucro, liberioribus, ut ita dixerim, pennis ad illud sublime et purum bonum evolat » ; *Sermones inediti* (éd. Talbot), p. 128 : « liberis pennis ad illum purum evolet lumen » ; *ibid.*, p. 49 : « qui ab istis tristibus emergentes et quasi in auram libertatis respirantes. » Cf. S. AUGUSTIN, *Solil.*, I, XIV, 24 ; *P. L.*, 32, 882 : « Penitus esse ista sensibilia fugienda, cavendumque magnopere dum hoc corpus agimus, ne quo eorum visco pennae nostrae impediantur, quibus integris perfectisque opus est, ut ad illam lucem ab his tenebris evolemus : quae se ne ostendere quidem dignatur in hac cavea inclusis, nisi tales fuerint ut ista vel effracta vel dissoluta possint in auras suas evadere. » M. Pierre Courcelle a bien voulu me signaler encore les textes suivants : *Confess.*, VIII, VII, 18 ; *Contra Acad.*, II, III, 7 ; *Enarr. in Psalm.* CXXXVIII, 13 (*C. C. L.*, 40, p. 1999, l. 10), textes que M. Courcelle commente dans un article : « La *colle* et le *clou* de l'âme dans la tradition néoplatonicienne et chrétienne (*Phédon* 82 *a*) », dans *Revue belge de Philologie et d'Histoire*, XXXVI (1958), p. 80-81.

3. *Sermones inediti* (éd. Talbot), p. 53.

ne se souviennent pas du lieu où nous fûmes un jour[1] ».
C'est vraisemblablement toutefois au paradis qu'Aelred fait
allusion. Dirigeant la pensée maintenant dans la direction
du futur : « Nous devons toujours avoir à la mémoire ce
que nous devons être ici-bas et ce que nous serons un jour
là-haut, car si nous ne considérons jamais que la vie
présente, nous perdrons cœur[2]. » C'est ainsi toujours sur
le fond d'une triple considération : paradis perdu, vie présente et désir du ciel que se meut la méditation monastique
et chrétienne.

L'imagination est encore admirablement mise à contribution. On lira ces descriptions en pensant aux scènes de
jugement sculptées aux porches des églises romanes. Le
dramatique de la situation est bien mis en œuvre :
« Représente-toi que tu es devant le tribunal du Christ...
entre les réprouvés et les élus... ne sachant pas encore vers
quel groupe la décision du juge va t'envoyer. O terrible
attente ! » Nous trouvons dans ce passage la mention d'une
croyance dont le Père Daniélou a relevé la tradition :
l'ange qui assiste le mourant : « Il repose dans la gloire,
soyons-en sûrs, celui que les anges ont assisté lorsqu'il s'est
endormi. Les saints sont accourus prêter main forte à leur
concitoyen. » Cette même croyance est rappelée dans un
passage des sermons sur Isaïe : « Il faut croire vraiment
que les anges, les bons et les mauvais, sont présents aux
mourants, que les bons anges reçoivent les bons, et que les
mauvais tourmentent les méchants... Heureux celui dont
la pureté des mœurs aura mérité d'avoir comme proches
ces esprits angéliques, qui viendront pour l'assister comme
des amis vont à la rencontre d'un ami bien connu. Nous
lisons en effet dans de nombreux textes dignes de foi que
des anges ont assisté des mourants[3]. »

---

1. *Ibid.*, p. 54.
2. *Sermo XXIII, de omnibus sanctis II ; P. L.*, 195, 341 D.
3. *Sermo X de Oner.; P. L.*, 195, 399 A-B. Cf. J. Daniélou,
Les Anges et leur mission, Chévetogne, 1953, ch. IX : Les Anges et

La longue description du bonheur du ciel s'inspire de
saint Anselme : « Rien n'y manquera que tu puisses désirer,
rien n'y sera que tu préférerais ne pas y voir. » Il y a
cependant une phrase, vers la fin, qui résume une psychologie de la béatitude : « Une joie si pleine et avec cela un
désir tel, qu'il faut bien conclure que l'assouvissement
n'affaiblira pas le désir, ni le désir n'empêchera l'assouvissement. » L'idée est de saint Augustin, reprise par saint
Grégoire[1], mais elle est assimilée et pénètre profondément
la spiritualité cistercienne. Il ne s'agit pas d'éteindre le
désir, mais de tendre cet élan de notre vie vers Dieu en
qui seul il sera comblé sans se perdre. Le désir reste un
plaisir que la possession de son objet doit intensifier sans
cesse et combler sans fin. Saint Bernard et Aelred ont
parlé à l'envi de l'impossibilité de concilier désir et satiété
en cette vie. « La satiété engendre le dégoût, il n'est pas
de plaisir qui ne soit diminué par l'ennui[2]. » « La faim
tourmente, mais la satiété engendre le dégoût. Pour satisfaire la volupté, il faut nécessairement déborder les limites
de la nécessité. Or, dépasser l'ordre de la nature sans
engendrer la souffrance est impossible[3]. »

Et « l'homme, seul au monde capable de béatitude,
n'abandonne jamais sa faim de bonheur[4] ». Cette poursuite
du bonheur que saint Bernard a magistralement décrite

la mort, notamment p. 129-130 : « Dans les *Dialogues* de saint Grégoire
le Grand, si remplis d'allusions au monde invisible, les anges apparaissent souvent au moment de la mort des saints, pour les servir. »

1. S. Augustin, *Sermo* CCCLXII, xxviii, 29 ; *P. L.*, 39, 1633 A :
« Insatiabiliter satiaberis veritate » ; S. Grégoire le Grand, *Homil.
in Evang.*, II, xxxvi, 1 ; *P. L.*, 76, 1266 A-B. La XIXe strophe
du *Jesu dulcis memoria* (*P. L.*, 184, 1317), s'inspire de ce thème :
« Replens sine fastidio / Dans famem desiderio. »

2. *Spec. car.*, I, 26 ; *P. L.*, 195, 528 D.

3. *Ibid.*

4. *Sermones inediti* (éd. Talbot), p. 53-54 : « Anima rationalis,
beatitudinis capax, numquam deponit beatitudinis appetitum » ;
cf. *Spec. car.*, I, 3 ; *P. L.*, 195, 507 C-D.

dans le *De diligendo Deo*, Aelred l'a peinte d'une façon
tout aussi saisissante dans le *Miroir de la charité* : « Le
malheureux dont un semblant de plaisir illusionne la
passion voluptueuse, voit ce faux plaisir s'évanouir avec
l'assouvissement de son désir... Et le pauvre homme est
déçu qui croyait être le bonheur ce qui ne l'est pas, il se
condamne ainsi au malheur en se livrant aux joies fausses
des satisfactions immédiates. Il reste sur sa faim de béatitude, et ainsi tourne en rond sans jamais trouver le repos.
Il n'y a que Dieu qui soit supérieur à l'âme raisonnable :
quelle folie dès lors de ne pas chercher l'apaisement en
Celui seul, qui, au-dessus de l'âme, la rendrait meilleure[1]. »
Aelred va jusqu'à dire que le test du vrai bonheur, c'est
de ne pas se dissoudre dans la satisfaction du désir[2].

III. Le *DE INSTITUTIONE INCLUSARUM*
DANS L'HISTOIRE DE LA SPIRITUALITÉ

Il est d'usage, pour un ouvrage de ce genre, d'en chercher
les tenants et les aboutissants. Le Dr Talbot note très
justement que les auteurs de règles contemporains d'Aelred
sont surtout des compilateurs de la tradition, mais l'effort
déployé pour retrouver les sources de cette règle des
recluses n'a abouti, comme le Dr Talbot le dit lui-même,
qu'à un assez mince résultat. Par contre on peut citer des
ouvrages contemporains qui offrent d'assez grandes
ressemblances avec l'ouvrage d'Aelred. Les lettres VII et
VIII d'Abélard donnent ainsi à Héloïse le sens de l'insti-

---

1. *Spec. car.*, I, 22 ; *P. L.*, 195, 525-526.
2. *Ibid.*, 525 D : « In desideriorum expletione delectatio falsa
dissolvit. » Cf. quelques textes parallèles : *Spec. car.*, III, 31, 604 C ;
Sermones inediti (éd. Talbot), p. 61 et 36. Cf. aussi S. BERNARD,
Serm. in Cant., XXXI, 1 ; XLVIII, 8 ; LXXXIV, 1 ; *In Psal. Qui
habitat*, serm. XI, 10 ; XVII, 6 ; *De diligendo Deo*, XI ; *De conversione
ad cler.*, XIV, 26-27 ; *In festo omnium sanctorum sermo I*, 11.

tution religieuse et une sorte de règlement, qui puise
souvent au même fonds commun[1]. Mais, c'est la Règle des
Templiers de saint Bernard, quelque inattendu que soit
le rapprochement, qui, pour le fond et la forme, offre le
parallèle le plus constant de notre traité. Saint Bernard
suit le même ordre qu'Aelred : institution, discipline de vie,
directives morales, et il ajoute aussi une méditation sur la
vie du Christ, premier chemin de croix, pèlerinage que ces
chevaliers auront le privilège de faire non seulement en
esprit mais sur les lieux mêmes. Saint Bernard cependant
est beaucoup moins méthodique, il n'est pas égal, il se
perd en développements théologiques[2]. Chez Aelred, la
méditation de chaque scène est précise, rapide, condensée,
et l'attention est constamment soutenue. C'est pourquoi
nous avons pu avancer qu'il n'y avait rien de tout à fait
identique dans la littérature spirituelle antérieure ou
contemporaine. On a ici le premier exemple d'une méditation systématique, formant un ensemble distinct : la
première méditation de ce genre sur les mystères du Christ.

La méditation eut un succès immédiat. Les maîtres
spirituels discernent avec soin les ouvrages de réelle valeur
pour les âmes, et en un temps où la publicité influençait
peu l'opinion, un livre se répandait par ce moyen de
recommandation de maître à disciple. Aussi voyons-nous
Étienne de Salley écrire dans son *Miroir du novice* : « Ce
que nous n'avons dit ici qu'en courant, vous le trouverez
plus amplement traité dans les méditations d'Aelred, qu'il
a écrites dans son petit ouvrage intitulé *De institutione
inclusae*[3]. » La règle des recluses aura aussi une influence

1. Pierre Abelard, *Epist. VII, De origine sanctimonialium;*
P. L., 178, 225 sq. ; *Epist. VIII, Institutio seu Regula sanctimonia-*
lium; ibid., 255 sq.

2. S. Bernard, *De laude Novae Militiae; P. L.,* 182, 921-940.

3. E. Mikkers, « Un *Speculum Novitii* inédit d'Étienne de Salley »,
dans *Collectanea O. C. R.,* VIII (1946), p. 52.

sur des règles du même genre, surtout en Angleterre[1].

Mais c'est sur un rapprochement plus significatif encore pour l'histoire de la spiritualité chrétienne que nous voudrions attirer l'attention. On redit souvent que la méditation d'Aelred eut une influence sur les franciscains[2] et sur la *devotio moderna* ; mais elle inspira saint Ignace lui-même. « Après avoir lu les deux petits traités *De Jesu puero* et la *Regula sive institutio inclusarum*, écrit le P. Viller, il est difficile d'admettre que l'on n'ait pas entrevu au xiie siècle notre exercice moderne de l'oraison mentale... Il serait aisé et on l'a déjà tenté, de rapprocher de la méthode ainsi prônée au xiie siècle les conseils que donne saint Ignace dans la méditation de la deuxième

1. Ces règles ont été étudiées par L. OLIGER, « Regulae tres reclusorum et eremitarum Angliae saec. XIII-XIV », dans *Antonianum*, III (1928), p. 151-190 ; 299-320, et *Speculum inclusorum auctore anonymo anglico saec. XIV*, Rome, 1938. L'*Ancren Riwle* (trad. en anglais moderne par M. B. SALU, *The Ancrene Riwle*, Londres, 1955, et Notre-Dame (Ind.), 1957 ; trad. française par Dom MEUNIER, *La Règle des Recluses*, Tours, 1928) a fait l'objet de nombreux travaux, cf. art. *Ancren Riwle*, dans *Dictionnaire de Spiritualité*, t. I, col. 529, et C. H. TALBOT, « Some notes on the dating of the Ancrene Riwle », dans *Neophilologus*, 40 (1956), p. 38-50. L'*Early English Text Society* a entrepris la publication des manuscrits de cette règle (cf. *B. T. A. M.*, V, 628, 629 ; VI, 2145 ; VII, 1756 ; VIII, 701). La dépendance de toutes ces règles à l'égard d'Aelred est certaine ; elle est particulièrement accusée pour la *Regula Cantabrigiensis*, dont l'auteur pourrait être Richard Rolle. D'autre part, il existe deux traductions en vieil anglais du *De institutione inclusarum;* l'une a été éditée par C. HORSTMANN, « Informatio Aelredi Abbatis Monasterii de Rievalle ad sororem suam inclusam translata de latino in Anglicum per Thomam N., dans *Englische Studien*, 7 (1884), p. 304-344 ; l'autre (ms. *Bodl.* 423 [2322] fol. 178-192), moins fidèle, est inédite (cf. Dom A. HOSTE, « Marginalia bij Aelred's *De institutione inclusarum* », dans *Cîteaux in de Nederlanden*, IX, [1958], pp. 134-136). Le traité d'Aelred a été très tôt connu en France.

2. Dom Hoste signale cinq citations littérales du *De institutione inclusarum* dans le *Lignum vitae* de S. BONAVENTURE, éd. Quaracchi, 1898, VIII, 68 (*art. cit.*, p. 133).

semaine des Exercices, quand le retraitant commence à
méditer les mystères de la vie de Notre-Seigneur. Malgré
les quatre siècles qui les séparent les deux méthodes sont
fort près l'une de l'autre[1]. » Ce rapprochement de deux
méthodes, sous l'angle de leur inspiration et de leur esprit,
est peut-être plus important que des dépendances textuelles.

On peut néanmoins suivre l'histoire de cette influence.
Notre traité se trouve dans plusieurs manuscrits provenant
de Chartreuses[2]. Ludolphe le Chartreux, lorsqu'il rédigeait
sa *Vila Chrisli*, avait constamment sous les yeux le texte
de la méditation d'Aelred. Il la croyait de saint Anselme,
mais ceci importe peu. A chaque scène évangélique que
Ludolphe trouve traitée par Aelred, le passage est cité en
bonne place. Mais encore une fois, il y a plus important
que ces emprunts textuels : l'esprit même dans lequel
Ludolphe compose sa méditation s'inspire de saint Bernard
qu'il cite plusieurs fois dans son introduction quand il
décrit sa méthode ; et pour conclure son œuvre, il cite
textuellement les dernières lignes du traité d'Aelred :
« Habes quippe meditationum spiritualium seminarium
ex quibus in te divini amoris fructus uberior oriatur et
crescat : ut meditatio affectum excitet, affectus desiderium
pariat[3] », etc. Or l'un des deux livres que saint Ignace a
lus durant sa convalescence après sa blessure de Pampelune,
fut « la *Vie du Chrisl* écrite par le Chartreux Ludolphe de

1. M. VILLER, c. r. de POURRAT, *La spiritualité chrétienne*, II,
Le Moyen Age, dans *R. A. M.*, III, (1922), p. 78-79.

2. Le ms. *Cotton Nero* A III provient vraisemblablement, selon
M. C. H. Talbot, de Hinton, Chartreuse dans le Somerset ; le ms.
Utrecht 104 également d'une Chartreuse. Il faut y ajouter le ms.
Douai 396, fol. 11-17, *Meditatio preteritorum, presentium et futurorum*,
Incipit : « Ad dilectionem Dei duo pertinent... » (xve s.), provenant
de Sheen Charterhouse, Londres.

3. *De inst. incl.*, 33, p. 164. Cf. LUDOLPHE DE SAXE, *Vita Christi*,
II, 89.

Saxe et traduite en castillan par Ambroise Montesino et qui
parut en quatre volumes à Alcala en 1502-1503[1] ».

Saint Bernard a sans nul doute été l'instigateur de la
nouvelle méthode, mais il était trop penseur et trop spécu-
latif pour en tirer tout le parti qu'on pouvait en tirer. Son
grand renom lui en a gardé tout le mérite. Il appartenait
cependant à saint Aelred, imaginatif et sensible, de réaliser
ce petit chef-d'œuvre et de mettre la méthode en pratique,
soumis à l'initiateur, mais avec l'aisance et la liberté que
lui permettait la richesse de sa propre expérience.

Actualité ?   Cette méditation de l'Évangile —
                  une des plus émouvantes que l'on
ait écrites — est-elle encore actuelle? Peut-elle encore
prétendre à nous impressionner? La question se pose, car
lors de la parution d'une récente traduction anglaise du
De institutione inclusarum, un critique a écrit dans le pays
même d'Aelred : « Cette piété médiévale est vraiment plus
proche du xixe siècle que du nôtre : malgré toute la fraîcheur qu'on trouve chez les premiers cisterciens, cette
approche psychologique est moins faite pour nous que les
écrits plus impersonnels des Pères, tellement plus proches,
nous nous en rendons compte maintenant, de la tradition
évangélique elle-même[2]. »

1. *Le Récit du Pèlerin, Autobiographie de saint Ignace de Loyola*,
éd. A. Thiry, Paris, 1956, p. 48, note 1. Le second livre lu par
Ignace fut la *Légende dorée* de Jacques de Voragine. La dépendance de saint Ignace à l'égard de Ludolphe a été naguère bien
démontrée par le P. Raitz von Frentz, « Ludolphe le Chartreux
et les *Exercices* de S. Ignace de Loyola », dans *R. A. M.*, XXV (1949),
p. 375-388 ; voir spécialement le paragraphe : la vie de Jésus chez
Ludolphe et chez saint Ignace. Récemment encore, la question de
l'influence des cisterciens a été traitée par M. Smits van Wanberghe,
« Origine et développement des exercices spirituels avant saint Ignace », dans *R. A. M.*, XXXIII (1957), p. 265-267 ; l'auteur cite
Aelred, mais ne semble pas avoir connaissance de notre traité.

2. L. Bright, O. P., *c. r.* de St. Aelred of Rievaulx, *A letter
to his sister, From the Latin and Middle English Versions*, edited by

Remarquons d'abord que cette « approche » est moins exclusivement « psychologique » qu'on pourrait croire. La méditation aelredienne est fondée sur la conviction que la parole de Dieu contenue dans l'Écriture est toujours vivante et efficace, et que les rencontres et les entretiens avec le Seigneur que rapporte l'Évangile ont une valeur universelle. Comme l'a écrit le P. von Balthasar à propos de l'épisode de la Samaritaine : « dans la Samaritaine près du puits de Jacob, c'est certainement à cette femme unique que Jésus s'adresse, mais en même temps à toute pécheresse, à tout pécheur. Ce n'est pas pour elle seule que Jésus est assis fatigué sur la margelle du puits : quaerens *me* sedisti lassus ! C'est pourquoi ce n'est pas un 'pieux exercice' que de me placer en esprit à côté de cette femme, d'entrer dans son rôle ; je n'ai pas seulement le droit de jouer ce rôle, je dois le jouer, bien mieux, je suis depuis longtemps impliqué dans cet entretien...[1]. »

Ce serait sans doute d'ailleurs marquer des limites arbitraires à l'intérêt renouvelé que nous portons à l'héritage des Pères que d'en retenir seulement ce qui relève d'une piété purement « objective ». Au cours de ces dernières années, diverses études ont signalé dans l'antiquité chrétienne, chez Origène notamment[2], comme des pressentiments de la dévotion médiévale à l'humanité du Christ. Et saint Augustin est-il si impersonnel ? On reconnaîtra volontiers que la méditation d'Aelred témoigne d'une évolution dans le sentiment religieux, mais l'affectivité qui s'y exprime ne saurait nous masquer la piété virile, doublée

G. Webb and A. Walker (Fleur de Lys Series, 11), Londres, 1955, dans *The Life of The Spirit*, XII (1957), pp. 93-94.

1. H. U. von Balthasar, *La Prière contemplative*, Paris, 1959, p. 14 ; cf. p. 174.

2. F. Bertrand, *Mystique de Jésus chez Origène*, Paris, 1951. Cf. Dom A. Hoste, dans Aelred de Rievaulx, *Quand Jésus eut douze ans* (S. C., 60), Introduction, p. 8.

d'une ferme théologie, de ce cistercien du xiie siècle, qui
garde tant d'affinités avec les Pères des premiers siècles.

Les hommes du xxe siècle ne seront sans doute pas
insensibles aux ressemblances étonnantes qui d'autre part
rapprochent cette méditation médiévale de celle d'un
Péguy. Comment ne pas évoquer à propos du passage
consacré à Marie-Madeleine, par exemple[1], ces lignes du
Mystère de la Charité de Jeanne d'Arc : « Heureuse celle
qui verse sur ses pieds le parfum de l'amphore... sur ses
vrais pieds, sur son corps charnel, sur sa tête réelle, sur
la tête de son corps...[2]. » Et n'est-on pas tenté d'appliquer
à l'œuvre d'Aelred ce qu'Alain-Fournier écrivait à
Jacques Rivière : « Je viens de lire le Mystère de la Charité
de Jeanne d'Arc. C'est décidément admirable. Je ne crains
pas de le dire... J'aime cet effort surtout pour le commentaire de la Passion, pour faire prendre terre, pour qu'on
voie par terre, pour qu'on touche par terre, l'aventure
mystique. Cet effort qui implique un si grand amour. Il
veut qu'on se pénètre de ce qu'il dit jusqu'à voir et à toucher[3]. » Jacques Rivière lui-même disait à Claudel :
« Jésus à la crèche, Jésus vivant, visible, sensuel et
m'ouvrant les bras... Je n'aime, je ne comprends, je ne
crois que ce que je touche, que ce qui est à la mesure de
mes sens et sous ma main et qui laisse un goût sur mes
lèvres[4]. »

---

1. *De inst. incl.*, **31**, p. 129-131.
2. Charles PÉGUY, *Le mystère de la charité de Jeanne d'Arc*, Paris,
1943, p. 53.
3. Jacques RIVIÈRE, dans *Miracles*, Paris, 1924, Préface, p. 67.
4. Jacques RIVIÈRE, *Correspondance avec Paul Claudel*, Paris,
1926, p. 151. Un témoignage me semble plus suggestif encore, car il
suit parfaitement toutes les étapes psychologiques de l'expérience
spirituelle telle que nous la trouvons décrite par saint Aelred et les
cisterciens. Il émane du philosophe et homme d'action Manuel Garcia
Morente, agnostique et rationaliste jusqu'à sa conversion. Le philosophe espagnol a relaté à son directeur un « fait étrange » : « Le fait
se produisit dans la nuit du 29 au 30 avril 1937... Il avait écouté un

Certaines âmes, certes, sont plus sensibles que d'autres à ces impressions, mais faut-il leur refuser cette voie vers Dieu qui est un des fruits les plus précieux de l'Incarnation?

On n'oubliera pas non plus que ce traité s'adresse à des religieuses. Souhaitons que leurs sœurs du xxe siècle trouvent en ces pages si délicates et si simples un modèle attrayant de méditation affective.

concert de musique française que retransmettait la radio... un morceau de Berlioz intitulé ' L'Enfance de Jésus '. Et ses yeux se mouillaient, confesse-t-il. Et bientôt défilèrent devant lui les images oubliées de sa courte et pieuse enfance : Jésus enfant, assis près de Joseph et de Marie ; Jésus pardonnant la pécheresse, la femme adultère ; Jésus attaché à la colonne... Il vit Jésus en croix et une foule qui s'élevait avec lui, tandis qu'il demeurait cloué au sol. Il sentit la vanité de l'abstraction et de la philosophie en face de ce concret bienfaisant, des prières tentèrent de franchir ses lèvres... » Puis il ressentit « une immense paix », et plus tard dans la nuit un sentiment de présence extraordinaire ou une vision du Christ (Mgr P. Jobit, *Manuel Garcia Morente*, dans *Convertis du XXe siècle*, Paris, 1954, t. II, p. 207).

NOTE SUR LA PRÉSENTE ÉDITION

Nous reproduisons ici le texte publié par le Dr C. H. Talbot dans les *Analecta S.O.C.*, VII (1951), p. 177-217. Cette édition, basée sur le ms. British Museum, *Cotton Nero A III*, fol. 2-43, et sur huit autres manuscrits, donnait pour la première fois le texte intégral du traité.

Dans les rares cas où nous avons cru devoir nous écarter du texte établi par C. H. Talbot, la leçon adoptée est toujours justifiée par une note critique placée au bas du texte latin. Les variantes sont alors signalées d'après l'apparat critique, non reproduit ici, de l'édition de C. H. Talbot. Pour le titre du traité, nous avons suivi les suggestions de Dom Anselme Hoste (cf. *supra*, p. 11, note 1). Nous avons également apporté quelques modifications à l'orthographe et à la ponctuation pour les adapter aux usages actuels.

⁎

Qu'on nous permette d'exprimer, en terminant, notre gratitude au R. P. Dom Guerric Baudet, abbé de Scourmont, et au R. P. Dom Jean Leclercq. Instigateurs de cette traduction, ils m'ont fait découvrir un vrai moine et un auteur rarement ennuyeux. M. l'abbé Jean Sainsaulieu a bien voulu nous communiquer de précieuses références bibliographiques. Je remercie aussi le P. Placide Deseille d'avoir amélioré ce travail, en y ajoutant notamment les références aux Pères du désert. Il ne fallait pas négliger cette source importante.

Caldey,
le 2 juin 1959.

SIGLES

(d'après C. H. Talbot)

B   Oxford, Bodley 36 (v. 1250).

D   Oxford, Digby 218 (fin XIIIe ou début XIVe siècle).

Ha Oxford, Hatton 101 (XIIIe siècle).

H   Hereford, P. I. XVII (XIIe-XIIIe siècle).

M   Paris, Mazarine 616 (XVe siècle).

N   Brit. Mus., Cotton Nero A III (XIIIe siècle).

R   Brit. Mus., Royal 8 D III (XIIIe siècle).

U   Paris, Université 790 (XIVe siècle).

V   Utrecht, 104 (XIVe siècle).

INCIPIT LIBER
VENERABILIS AELREDI ABBATIS RIEVALLIS
DE INSTITUTIONE[a] INCLUSARUM

1. Iam pluribus annis exigis a me, soror, ut secundum modum vivendi quem arripuisti pro Christo, certam tibi formulam tradam, ad quam et mores tuos dirigere et necessaria religioni possis exercitia ordinare. Utinam a sapientiore id peteres, et impetrares, qui non coniectura qualibet sed experientia didicisset, quod alios doceret. Ego certe qui tibi et carne et spiritu frater sum, quoniam non possum negare quicquid iniungis, faciam quod hortaris, et ex diversis patrum institutis, aliqua quae tibi necessaria videntur excerpens, ad componendum exterioris hominis statum, certam tibi regulam tradere curabo, pro loco et tempore quaedam adiciens, et spiritualia corporalibus, ubi utile visum fuerit, interserens.

2. Primum igitur oportet te scire qua causa, quave ratione huiusmodi vita ab antiquis vel instituta sit vel

---

a. institutione : institutis *Talbot (Cf. Introduction, p. 11, note 1, et p. 40).*

---

1. Formule analogue dans *Sermo XXV de Oner.; P. L.*, 195, 463 D : « Necessaria ordinis exercitia. »

2. Cet appel aux Institutions des Pères est fréquent chez les auteurs de règles monastiques : ceux-ci en effet ne veulent pas innover, mais entendent plutôt codifier une tradition remontant jusqu'aux Pères du Désert. Cf. p. ex. ISIDORE DE SÉVILLE, *Regula Monachorum*, Praefatio ; *P. L.*, 83, 867-868 : « Plura sunt praecepta vel instituta maiorum, quae a sanctis patribus sparsim prolata reperiuntur, quaeque etiam nonnulli latius vel obscurius posteritati composita tradiderunt, ad quorum exemplum nos haec pauca vobis eligere ausi sumus. »

ICI COMMENCE LE LIVRE
DU VÉNÉRABLE AELRED, ABBÉ DE RIEVAULX,
SUR LA VIE DE RECLUSE

Adresse **1.** Voilà déjà bien des années, ma
sœur, que tu me réclames une formule
de vie, adaptée à cette existence où tu t'es engagée pour
le Christ, qui te donnât des directives de progrès moral, et,
pour les exercices inhérents à toute vie religieuse[1], un plan
bien ordonné.

Plût au ciel que tu te fusses adressée, avec succès, à plus
sage que moi ! à quelqu'un qui eût pu fonder son enseignement sur l'expérience, et non sur quelques conjectures !
Mais je suis ton frère, tant par la chair que par l'esprit :
comment refuser ? Je réponds donc à tes désirs, et, choisis-
sant parmi les diverses institutions des Pères[2] ce qui paraît
pouvoir t'être utile, je vais te donner une règle précise,
propre à former l'homme extérieur. J'y apporterai les
compléments qu'appellent les circonstances de temps et
de lieux, et, quand cela paraîtra opportun, je glisserai
parmi les observances corporelles des exercices spirituels[3].

PREMIÈRE PARTIE

LA VIE DES RECLUSES

La vie solitaire **2.** Tout d'abord, il faut que tu
saches pour quels motifs et dans quel
esprit les anciens ont institué ou pratiqué ce genre d'exis-

---

3. Aelred distingue les *corporales institutiones* (cf. **33**, p. 168) et les
exercitia spiritualia (cf. **9**, p. 66) ; voir Introduction, p. **17**.

usurpata. Sunt quidam, quibus inter multos vivere perniciosum est. Sunt et alii quibus et si non perniciosum, est
tamen dispendiosum. Sunt et nonnulli quibus nihil horum
timendum est, sed secretius habitare magis aestimant
fructuosum.

Itaque antiqui vel ut vitarent periculum, vel ne pate-
rentur dispendium, vel ut liberius ad Christi anhelarent et
suspirarent amplexum, singulariter vivere delegerunt.
Hinc est quod plures in heremo soli sedebant, vitam
manuum suarum opere sustentantes. Illi vero qui nec
hoc sibi securum, propter solitudinis libertatem et va-
gandi potestatem, arbitrabantur, includi potius et infra
cellulam obstruso exitu contineri tutius aestimabant.
Quod et tibi visum fuerit, cum te huic institutioni voveres.

Sed multi rationem huius ordinis vel ignorantes vel non
curantes, membra tantum intra parietes cohibere satis
esse putant, cum mens non solum pervagatione dissol-
vatur, curis et sollicitudinibus dissipetur, immundis etiam
et illicitis desideriis agitetur, sed etiam lingua tota die per
vicos et civitates, per fora et nundinas, per vitas et mores
et opera hominum, non solum inutilia, sed etiam turpia
curiose discurrat.

Vix aliquam inclusarum huius temporis solam invenies,
ante cuius fenestram non anus garrula vel rumigerula
mulier sedeat, quae eam fabulis occupet, rumoribus ac
detractionibus pascat, illius vel illius monachi, vel clerici,
vel alterius cuiuslibet ordinis viri formam, vultum moresque

---

1. L'expression « se tenir assis dans sa cellule » ou « au désert »,
est traditionnelle dans la littérature monastique pour désigner la vie
solitaire (cf. p. ex. *Apophtegmata Patrum*, ser. alph., Antoine, 1 ;
Ammonas, 4 ; Gélase, 6 ; Daniel, 8 ; Évagre, 1, etc.). En même temps
qu'elle évoquait *Lament.*, 3, 28 (cf. *infra*, **5**, p. 54), elle suggérait
l'attitude spirituelle du moine, l'*hesychia*, « cette quiétude intérieure
qui est à la fois une condition et un résultat de l'union à Dieu »
(I. HAUSHERR, « L'hésychasme », dans *O. C. P.*, XXII [1956], p. 263).
Cf. également S. BERNARD, *Vita S. Malachiae*, II, 5 ; *P. L.*, 182,

tence. Il en est pour qui vivre en société présente des dangers ;
d'autres pour qui c'est à tout le moins chose fastidieuse ;
d'autres enfin pour qui ni l'un ni l'autre n'est à craindre,
mais qui jugent d'un plus grand profit de vivre à l'écart.

Voilà donc les motifs qui poussaient les anciens à vivre
seuls : échapper aux dangers de la vie en société, éviter
ses ennuis, ou bien s'en libérer pour soupirer et languir
plus à loisir après l'étreinte du Christ. C'est ainsi qu'un
certain nombre « se tenaient assis, solitaires » au désert[1],
y vivant du travail de leurs mains, tandis que d'autres,
redoutant la liberté que laisse la solitude et le vagabondage
auquel elle expose, jugèrent plus sûr de s'enfermer dans
une cellule dont ils faisaient murer l'entrée. Tel est préci-
sément le motif qui t'a incitée à te vouer à ce genre
d'existence.

Les recluses   Mais il en est tant qui ignorent le
de notre temps   sens de cette institution, ou ne s'en
soucient guère ! S'imaginant qu'il suffit d'enfermer leur
corps entre quatre murs[2], elles laissent libre cours à leur
esprit qui se dissout en mille divagations : soucis, inquié-
tudes, jusqu'aux pensées impures et défendues. Et leur
esprit n'est pas seul à voyager : leur langue aussi court,
à longueur de journée, la ville et le faubourg, les places
publiques et les marchés, passant au crible les faits et
gestes, futiles ou même scandaleux, de chacun.

Ah, les recluses de notre temps ! C'est à peine si tu en
trouveras une qui soit seule, qui n'ait, assise devant sa
fenêtre, une bonne femme babillarde ou une colporteuse
de nouvelles. Elles la retiennent avec de vains propos,
la repaissent d'on-dit et de racontars malveillants, lui
dépeignent les allures, la physionomie, la conduite de tel

1077 D-1078 A, et Guigues Ier, *Consuetudines*, 14, 5 ; *P. L.*, 153,
659 : « Praecipue studium et propositum nostrum est silentio et
solitudini cellae vacare iuxta illud Ieremiae : Sedebit solitarius et
tacebit. »

2. Cf. *Sermo XV, in die SS. Petri et Pauli; P. L.*, 195, 296 B.

describat, illecebrosa quaeque interserat, et puellarum
lasciviam, viduarum quibus licet quidquid libet libertatem,
coniugum in viris fallendis explendisque voluptatibus
astutiam, depingat. Os interea in risus cachinnosque
dissolvitur, et venenum cum suavitate bibitum, per
viscera membraque diffunditur. Sic cum discedere ab
invicem hora compulerit, inclusa voluptatibus, anus
cibariis onerata recedit.

Reddita quieti misera, eas quas auditus induxerat, in
corde versat imagines, et ignem premissa confabulatione
conceptum vehementius sua cogitatione succendit. Quasi
in psalmis ebria titubat, in lectione caligat, fluctuat in
oratione.

Refusa mundo luce, citantur mulierculae, et addentes
nova veteribus, non cessant donec captivam libidinis
demonibus illudendam exponant. Nam manifestior sermo,
non iam de accendenda, sed potius de satianda voluptate
procedens, ubi et quando et per quem possit explere quae
cogitat in commune disponunt. Cella vertitur in prosti-
bulum, et dilatato qualibet arte foramine, aut illa egreditur,
aut adulter ingreditur. Infelicitas haec, ut saepe probatum
est, pluribus tam viris quam feminis in hoc nostro saeculo
communis est.

3. Sunt aliae, quae licet turpia quaeque declinent,
loquaces tamen loquacibus assidue associantur, animum
curiositati, linguam et aures tota die otio rumoribusque
dedentes. Aliae non multum ista curantes, quod[a] fere vitium
per omnes huius temporis serpit inclusas, pecuniae congre-

a. quod *HMV* : quo *Talbot.*

1. Cf. *Spec. Car.*, II, 24 ; *P. L.*, 195, 573 C-D.

ou tel moine, de tel clerc, ou de quelque autre personnage. On glisse de temps en temps un trait plus piquant sur la légèreté des jeunes filles, la liberté des veuves qui se croient tout permis, la malice des épouses habiles à tromper leur mari et à satisfaire leur volupté. C'est à tout moment des éclats de rire et des cris. Les lèvres se détendent, et le venin, bu avec délices, se répand dans le cœur et les membres. Et quand enfin l'heure les force à se quitter, elles se séparent bien chargées : la vieille de victuailles, et la recluse de plaisirs.

Sitôt qu'elle a retrouvé le calme, la pauvre, c'est pour retourner dans son esprit les imaginations qu'elle a laissées entrer par l'oreille, et le feu allumé par le bavardage s'attise à la réflexion[1]. Comme enivrée, elle titube dans les psaumes, s'embrouille à la lecture, ne peut fixer son esprit à l'oraison.

A la tombée de la nuit, d'autres femmes moins recommandables viennent au rendez-vous. Elles renchérissent encore, ajoutant de nouvelles histoires jusqu'à la livrer toute aux mauvais désirs, aux démons qui vont se jouer d'elle. Car maintenant on parle sans voiles. Il ne s'agit plus seulement d'éveiller l'attrait du plaisir, mais de le satisfaire ; on tient conseil sur les moyens : où, quand, et avec qui elle pourra donner satisfaction à ses mauvais désirs. La cellule devient un lieu mal famé. On trouvera bien moyen d'en agrandir l'issue, par où la recluse pourra s'échapper ou le séducteur s'introduire. C'est là un mal commun à notre époque, de nombreux cas le prouvent, tant parmi les hommes que chez les femmes.

Soucis du temporel **3.** Il en est d'autres qui, sans doute, se gardent des propos obscènes ; mais, bavardes sans cesse en compagnie de bavardes, elles livrent tout le jour leur esprit à la curiosité, leurs oreilles et leur langue aux futilités et aux commérages. Et de nos jours, c'est presque toutes les recluses que ce vice gagne

gandae vel multiplicandis pecoribus inhiant, tantaque
cura ac sollicitudine in his extenduntur, ut eas matres vel
dominas familiarum aestimes, non anachoritas. Quaerunt
animalibus pascua, pastores qui custodiant procurant,
annui fructus vel pretium, vel pondus, vel numerum a
custodibus expetunt. Sequitur emptio et venditio, ut
nummus appositus nummo cumulum erigat et avaritiae
sitim accendat. Fallit enim tales spiritus nequam pro
impertiendis eleemosynis vel orphanis alendis, pro advenientium parentum vel amicorum caritate et religiosarum
feminarum susceptione hoc utile esse ac necessarium sua-
dens.

Non est hoc tuum, ad quam magis pertinet ut pauper
cum pauperibus stipem accipias, quam relictis omnibus
tuis pro Christo aliena quaerere ut eroges. Magnae infideli-
tatis signum est si inclusa de crastino sollicita sit, cum
Dominus dicat : Primum quaerite regnum Dei et omnia
adicientur vobis.

4. Quapropter providendum est, ut mens omnium rerum
temporalium cura exuatur et exoneretur sollicitudine.
Quod ut fiat, provideat inclusa, ut si fieri potest, de labore
manuum suarum vivat : hoc enim perfectius. Si vero aut
infirmitas aut teneritudo non permittit, antequam includatur certas personas quaerat, a quibus singulis diebus
quod uni diei sufficiat humiliter recipiat, nec causa pauperum vel hospitum quicquam adiciat. Non circa cellulam
eius pauperes clament, non orphani plorent, non vidua
lamentetur.

1. *Lc*, 12, 31.
2. Cf. *Regula S. Benedicti*, XLVIII : « Tunc vere monachi sunt,
si labore manuum suarum vivunt. »

peu à peu. D'autres, plus réservées qu'elles soient sur ce chapitre, sont saisies de la fièvre de se faire une fortune ou d'accroître leur bétail ; et elles y mettent une telle ardeur, et l'affaire prend de telles proportions, qu'on les prendrait plutôt pour des mères de famille ou des maîtresses de maison que pour des anachorètes. Elles se procurent des pâturages pour leurs troupeaux, engagent des bergers pour les garder. Elles exigent que ces hommes leur rendent compte du produit annuel du cheptel, de la valeur, du poids, du nombre des bêtes. Puis ce sont les tractations de la vente et de l'achat, et les pièces d'or qui s'empilent allument dans leur cœur la soif des richesses. Un malin esprit les abuse, leur persuadant que ces biens sont utiles et nécessaires pour faire l'aumône, nourrir les orphelins, recevoir charitablement parents et amis, héberger de pieuses personnes.

Tout cela n'est plus pour toi, ma sœur : tu dois plutôt recevoir l'aumône toi-même, pauvre parmi les pauvres, que chercher à obtenir les biens des autres pour faire la charité, après avoir renoncé aux tiens pour le Christ. C'est le signe d'une grande infidélité qu'une recluse s'inquiète du lendemain, quand le Seigneur a dit : « Cherchez d'abord le Royaume de Dieu, et le reste vous sera donné par surcroît[1]. »

4. Aussi que la recluse veille à libérer son esprit de tout souci du temporel et à le dégager de toute inquiétude. A cette fin, qu'elle tâche de vivre, si possible, du travail de ses mains[2]. C'est beaucoup mieux ainsi. Mais si l'infirmité ou une complexion délicate ne le lui permet pas, qu'avant de se laisser enfermer, elle s'assure de quelques personnes disposées à lui porter quotidiennement la nourriture nécessaire pour la journée seulement. Elle la recevra humblement. Qu'on n'ajoute rien pour les pauvres ni pour les hôtes. Qu'aux alentours de sa cellule, les mendiants ne viennent pas crier, les orphelins geindre, ni les veuves pleurer.

Sed quis hoc, inquis, poterit prohibere?

Tu sede, tu tace, tu sustine. Mox ut scierint te nihil habere, se nihil recepturos, vel fatigati discedent.

Inhumanum hoc clamas.

Certe si praeter necessarium victum et vestitum aliquid habes, monacha non es. Quid igitur erogabis?

Praecipitur tamen inclusae ut quicquid de labore manuum suarum victui superfuerit, mittat cuilibet fideli, qui pauperibus eroget.

Nolo ut insidiatrix pudicitiae vetula mixta pauperibus accedat propius, deferat ab aliquo monachorum vel clericorum eulogia, non blanda verba in aure susurret, ne pro accepta eleemosyna osculans manum, venenum insibilet.

Cavendum praeterea est, ut nec ob susceptionem religiosarum feminarum quodlibet hospitalitatis onus inclusa suscipiat. Nam inter bonas plerumque etiam pessimae veniunt, quae ante inclusae fenestram discumbentes, praemissis valde paucis de religione sermonibus, ad saecularia devolvuntur. Inde subtexere amatoria, et fere totam noctem insomnem ducere. Cave tu tales, ne cogaris audire quod nolis, videre quod horreas. Forte enim videbuntur amara cum audiuntur vel cernuntur, quae postea sentiuntur dulcia cum cogitantur.

Si scandalum times, eo quod nec pauperibus erogas, nec suscipis hospites, cum omnes tuam nuditatem propositumque didicerint, non erit qui reprehendat.

Si vero nec pro pauperibus nec pro hospitibus te velim pecuniosam esse, multo utique minus occasione grandioris familiae. Itaque eligatur tibi anus aliqua non garrula, non litigiosa, non vaga, non rumigerula, sed quae bonos mores excoluerit, et ab omnibus habuerit testimonium sanctitatis. Haec ostium cellae custodiat, et quos debuerit, vel admittat, vel repellat. Haec quae ad victum necessaria sunt recipiat vel conservet. Habeat sub cura sua fortiorem ad onera sustinenda puellam, quae

Et qui pourrait bien les en empêcher? demandes-tu.

— Pour ce qui est de toi, ne bouge pas, ne réponds pas, attends. Quand ils sauront que tu n'as rien, qu'ils ne recevront rien, ils se lasseront et s'en iront.

— C'est inhumain ! t'écries-tu.

— Pourtant, si tu disposes de quoi que ce soit en sus du nécessaire, nourriture ou vêtement, tu n'as plus rien d'une moniale. Alors, qu'irais-tu distribuer?

Il est cependant prescrit à la recluse de confier le surplus du bénéfice de son travail à une personne sûre, pour que ce superflu aille aux indigents.

Il me déplairait qu'une vieille femme, mêlée aux pauvres, s'approchât de plus près et t'offrît, piège à ta vertu, quelque petit cadeau de la part d'un moine ou d'un clerc. Qu'elle n'aille pas non plus te susurrer dans l'oreille des paroles flatteuses, que pour une aumône reçue elle n'aille pas te baiser la main et t'injecter son venin.

La recluse devra veiller en outre à ne pas s'imposer les obligations de l'hospitalité, même sous prétexte de recevoir des dévotes. Car, mêlées à ces bonnes personnes, il en vient souvent de fort mauvaises, qui s'installent devant sa fenêtre, et, après quelques phrases d'introduction sur un sujet religieux, se lancent dans les mondanités, auxquelles se mêlent bientôt des histoires romanesques, et presque toute la nuit se passe sans fermer l'œil. Pour ne pas être forcée d'entendre ce qui te répugne, de voir ce qui te fait horreur, évite avec soin de telles femmes. Au premier abord, on n'éprouve que de la répulsion, mais quand on y repense ensuite, cela devient tentant.

Que si tu crains le scandale en ne donnant rien aux pauvres, en ne recevant pas d'hôtes, sois certaine que personne n'y trouvera à redire lorsqu'on saura ton dénuement volontaire.

Si donc tu n'as pas à te mettre en frais pour les pauvres et les hôtes, à combien plus forte raison dois-tu renoncer

aquam et ligna comportet, coquat fabas et olera, aut, si
hoc infirmitas exegerit, praeparet potiora. Haec sub
magna disciplina custodiatur, ne forte eius lascivia tuum
sanctum habitaculum polluatur, et ita nomen Domini et
tuum propositum blasphemetur.

Pueris et puellis nullum ad te concedas accessum. Sunt
quaedam inclusae quae docendis puellis occupantur, et
cellam suam vertunt in scholam. Illa sedet ad fenestram,
istae in porticu resident. Illa intuetur singulas, et inter
puellares motus, nunc irascitur, nunc ridet, nunc minatur,
nunc blanditur, nunc percutit, nunc osculatur, nunc
flentem pro verbere vocat propius, palpat faciem, stringit
collum, et in amplexum ruens, nunc filiam vocat, nunc
amicam.

Qualis inter haec memoria Dei, ubi saecularia et carna-
lia, etsi non perficiantur, moventur tamen, et quasi sub
oculis depinguntur.

Tibi itaque duae illae sufficiant et ad colloquium et ad
obsequium.

5. De silentio inclusarum. Silentii gravitatem inclusae
servandam praecipue suademus. Est enim in ea quies
magna, et fructus multus. Nam cultus iustitiae silentium,

---

1. Cf. S. JÉRÔME, *Epist.* CXXVIII, 3 ; *P. L.*, 22, 1097 C : « Elige
ergo anum deformem... ».

2. Cf. ID., *Epist.* CXXVII, 3 ; *ibid.*, 1089 A : « Sciens ex lascivia
puellarum saepe de dominarum moribus iudicari. »

3. Sur la *memoria Dei*, cf. Introduction, p. 19. Aelred est tributaire
des catégories augustiniennes, mais il est fidèle en même temps à
la plus ancienne tradition monastique : « Le problème de la prière
continuelle s'identifie, pour les ascètes, avec celui de la continuelle
'mémoire de Dieu'... C'est le souci de la perpétuelle union à Dieu
par le 'souvenir', qui justifie les grandes lois de l'anachorétisme :
solitude, silence, travail manuel, heures de prière et de psalmodie...
Pour illustrer la doctrine de la μνήμη Θεοῦ il faut renvoyer aux
Vitae Patrum tout entières... Il convient de remarquer que le Dieu
dont il ne faut pas perdre le souvenir c'est habituellement Notre-
Seigneur Jésus-Christ » (J. LEMAÎTRE, art. *Contemplation: Contemplation chez les Orientaux chrétiens*, dans *Dictionnaire de Spiritualité*,
II, col. 1858-1862).

à l'entretien d'un nombreux personnel ! Cherche-toi une servante âgée[1], qui ne soit ni bavarde, ni disputeuse, ni vagabonde, ni encline aux racontars ; mais qui soit de bonne vie et en réputation de piété. Elle gardera la porte de ta cellule et donnera accès aux visiteurs ou les éconduira, selon le cas. Elle recevra et conservera les vivres nécessaires. Elle aura à sa disposition une fille plus forte pour les gros travaux. Celle-ci ira chercher l'eau et le bois, cuira les fèves, les légumes et les soulagements que l'infirmité rendrait nécessaires. On exigera d'elle une tenue irréprochable, pour qu'elle n'aille pas déshonorer par son laisser-aller ta sainte demeure[2], et que le nom du Seigneur et ta profession ne deviennent pas occasion de blasphème.

Maîtresses d'école Ne donne pas accès auprès de toi aux jeunes garçons ou aux petites filles. Il y a des recluses qui s'occupent de l'enseignement des fillettes, et transforment leur cellule en école. La recluse s'assied à la fenêtre, tandis que les enfants se groupent sous le portique. Elle dévisage l'une après l'autre toutes ses élèves, et, selon leurs attitudes enfantines, tantôt se fâche ou se met à rire, tour à tour les menace ou les cajole, les frappe ou les embrasse. Si l'une d'elles, punie, vient à pleurer, aussitôt elle la fait approcher, lui caresse les joues, lui entoure le cou, et, la saisissant dans ses bras, ce sont à n'en plus finir des : ma petite fille..., ma chérie...

Que devient dans tout cela la pensée de Dieu[3] ? De telles occupations n'éveillent que souvenirs du monde et sensualité. On n'ira pas jusqu'à y céder, mais suggestions et imaginations feront leur œuvre.

Contente-toi donc, tant pour le service que pour la conversation, des deux personnes que j'ai dites.

Le silence **5.** La recluse, il faut y insister, devra garder un silence plein de retenue. Il y a dans le silence grande paix et grand profit. « Le silence, c'est le culte de la justice[4] », et, comme le dit

4. *Is.*, 32, 17.

et sicut ait Ieremias : Bonum est cum silentio expectare
salutare Dei. Et iterum : Bonum est viro cum portaverit
iugum, ut sedeat solus, et taceat. Unde scriptum est : Audi
Israel, et tace. Fac ergo quod ait Propheta : Dixi custodiam vias meas, ut non delinquam in lingua mea ; posui
ori meo custodiam. Sic inclusa timens casum linguae, quam
secundum Apostolum Iacobum, nemo hominum domare
potest, ponat custodiam ori suo, sola sedeat et taceat ore,
ut spiritu loquatur, et credat se non esse solam, quando
sola est. Tunc enim cum Christo est, qui non dignatur in
turbis esse cum ea.

Sedeat ergo sola, taceat, Christum audiens et cum Christo
loquens. Ponat custodiam ori suo, primum ut raro loquatur,
deinde quid loquatur, postremo quibus et quomodo loquatur attendat.

Raro loquatur, id est certis et constitutis horis de quibus postea dicemus.

Quid loquatur, id est de necessitate corporis vel animae
aedificatione.

Quibus loquatur, id est certis personis et quales ei
fuerint designatae.

Quomodo loquatur, id est humiliter, moderate, non
alta voce, nec dura, nec blanda, nec mixta risu. Nam si
hoc ad quemlibet virum honestum pertinet, quanto magis

1. *Lament.*, 3, 26.

2. *Ibid.*, 3, 27-28.

3. *Deut.*, 27, 9 selon les LXX (cité sous cette forme par S. Jérôme,
Epist. CXXV, 15 ; *P. L.*, 22, 1081 A).

4. *Ps.* 38, 2.

5. Cf. *Jac.*, 3, 8.

6. Sur cet entretien intérieur de l'âme et du Verbe, cf. S. Bernard,
Sermo XLV in Cant., 7 ; *P. L.*, 183, 1002 C-D « Spiritus est Verbum,
spiritusque anima, et habent linguas suas... Et Verbi quidem lingua
favor dignationis eius, animae vero, devotionis fervor. »

Jérémie, « il est bon d'attendre en silence le salut de Dieu [1]».
Et de même : « Il est bon à l'homme de porter le joug, pour
qu'il s'asseye, solitaire, et se taise[2]. » Aussi est-il encore
écrit : « Écoute, Israël, et tais-toi[3]. » Fais donc ce que dit
le Prophète : « J'ai dit : je garderai mes voies pour ne pas
pécher par la langue ; je mettrai une garde à mes lèvres[4]. »
Que la recluse de même mette une garde à ses lèvres, de
crainte de pécher par cette langue dont l'Apôtre Jacques
dit que « personne ne peut la dompter[5] ». Qu'elle s'asseye,
solitaire, et impose le silence à sa langue, pour parler dans
son cœur[6] ; et qu'elle croie qu'elle n'est pas seule quand
elle est seule[7], car elle est alors avec le Christ, qui ne
veut pas se trouver avec elle au milieu de la foule[8].

Qu'elle s'asseye donc solitaire, qu'elle se taise pour écouter
le Christ et lui parler. Qu'elle mette une garde à ses lèvres,
afin de parler rarement, de veiller à ce dont elle parle, et
de prendre garde à qui elle parle et comment.

Parler rarement : il nous faudra fixer des moments bien
déterminés. Nous en traiterons plus loin.

De quoi parler ? Des nécessités du corps et de l'édification
de l'âme.

A qui parler ? A un certain nombre de personnes, qui lui
auront été désignées.

Comment parler ? Humblement, avec modération ; pas
à voix haute, ni criarde, ni doucereuse, ni entrecoupée
d'éclats de rire. Si tout cela ne sied pas à un honnête

----

7. Cf. le mot attribué à Théophraste par S. Jérôme, *Adv. Iovin.*
I, 47 ; *P. L.*, 23, 290 c : « Si hominum inopia fuerit, loquitur cum Deo.
Numquam minus solus erit quam cum solus erit. » La même maxime
est prêtée à Scipion l'Africain par Cicéron, *De Officiis*, III, 1, cité
par S. Ambroise, *De Officiis ministr.*, III, 2 ; *P. L.*, 16, 145 C-146 B,
et *Epist.* XLIX, 1 ; *ibid.*, 1153 D. Paschase Radbert, *Expositio
in Ps. XLIV ; P. L.*, 120, 995 ; Guillaume de Saint-Thierry,
Epist. ad fratres de Monte-Dei, I, iv, 10 ; *P. L.*, 184, 313 D.

8. Cf. S. Augustin, *In Ioh.*, XVII, v, 11 ; *C. C. L.*, 36, p. 176,
(Willems) : « Noli Iesum quaerere in turba. »

ad feminam, quanto magis ad virginem, quanto magis ad
inclusam ?

Sede itaque, soror mea, et tace, et si compelleris loqui,
parum loquere, humiliter et modeste, sive de corporalium
rerum necessitate, sive de animae salute, sermo incubuerit.

6. Iam nunc personas quibus loqui debet designemus.
Felix illa quae nec Martinum admisit, nullum virorum nec
videre volens, nec alloqui. Sed quaenam inclusarum hoc
sequeretur exemplum ? Sufficiunt illis quae modo sunt
si hanc corporalem castitatem conservent, si non onusto
ventre extrahantur, si non fletus infantis partum prodiderit.

Quibus quia perpetuum ne cum viris indicere possumus
silentium, cum quibus honestius loqui possint videamus.

Igitur, si fieri potest, provideatur in vicino monasterio
vel ecclesia presbyter aliquis senex, maturis moribus et
bonae opinionis. Cui raro de confessione et de animae
aedificatione loquatur, a quo consilium accipiat in dubiis,
in tristibus consolationem. Verum quia inclusum membris
malum illud quod timemus plerumque suscitat et emollit
emortuam senectutem, nec ipsi manum suam tangendam
praebeat vel palpandam. Nulla vobis de macie vultus, de
exilitate brachiorum, de cutis asperitate sermocinatio sit,
ne ubi quaeris remedium incurras periculum.

7. Haec tibi, soror, gratias Deo dicenda non fuerant,
sed quia non solum propter te, sed etiam propter adoles-

---

1. Cf. Sulpice Sévère, *Dialog.*, II, 12 ; *C. S. E. L.*, I, p. 194-
195 (Halm). Ce récit de Sulpice Sévère est évoqué dans Pseudo-
Jérôme, *Epist.* XLII, 10 ; *P. L.*, 30, 300 D-301 A, qu'utilise
Abélard, *Epist.* VIII ; *P. L.*, 178, 264 D-265 A.

2. Cf. S. Jérôme, *Epist.* XXII, 13 ; Labourt, I, p. 122, l. 27 :
« Piget dicere quot quotidie virgines ruant... Quas nisi tumor uteri
et infantium prodiderit vagitus... »

homme, combien moins à une femme, et moins encore à une vierge ; que dire alors d'une recluse ?

Assieds-toi donc, ma sœur, et fais silence. S'il t'arrive de devoir parler, fais-le en peu de mots, humblement, modestement, et qu'il ne s'agisse que des nécessités matérielles ou du salut de ton âme.

6. Voyons à présent les personnes auxquelles on pourra parler. Heureuse celle qui n'a même pas admis Martin, ne voulant voir aucun homme, ni lui parler[1] ! Mais trouverait-on une recluse pour suivre cet exemple ? De nos jours, c'est déjà bien beau si elles gardent l'intégrité corporelle, si une grossesse ne vient pas mettre fin à leur réclusion, si des pleurs d'enfant ne trahissent pas qu'elles sont devenues mères[2] !

Mais puisqu'on ne peut leur imposer le silence complet, même avec les hommes, voyons avec lesquels elles pourront parler en toute honnêteté.

Que la recluse se cherche donc, si possible, dans quelque monastère ou église du voisinage, un prêtre âgé, de vie réglée et de bonne réputation. Elle ne s'adressera à lui que rarement, uniquement pour se confesser et pour l'édification de son âme. Elle se fera conseiller par lui dans ses doutes et consoler dans ses épreuves. Elle ne lui donnera pas la main à serrer ou à toucher, car le mal redoutable inoculé dans nos membres peut nous impressionner jusqu'au déclin de la vieillesse. Qu'il ne soit question ni de la maigreur du visage ou des bras, ni de la rugosité de la peau, de peur que là où l'on cherche un remède, on n'aille éveiller un danger.

7. Grâce à Dieu, ma sœur, tout cela, ce n'est pas à toi qu'il fallait le rappeler. J'ai cru bon cependant d'insérer ces quelques remarques, car ce n'est pas pour toi seule que tu m'as demandé d'écrire ce règlement de vie, mais égale-

centiores quae similem vitam tuo consilio arripere gestiunt,
hanc tibi formulam scribi voluisti, haec inserenda putavi.

Si aliqua magni nominis vel bonae aestimationis persona, abbas scilicet aut prior, cum inclusa loqui voluerit,
aliquo praesente loquatur. Nullam certe personam te
frequentius visitare vellem, nec cum aliqua te crebrius
visitante familiare te vellem habere secretum. Periclitatur
enim fama virginis crebra certe alicuius personae salutatione, periclitatur et conscientia. Nam quanto saepius
eumdem videris vultum, vel vocem audieris, tanto expressius eius imago tuae memoriae imprimetur. Et ideo inclusa
etiam facie velata loqui debet cum viro et eius cavere
conspectum, cui cum timore solum debet praestare audi-
tum. Nam eamdem viri vocem saepe admittere, quibusdam
periculosum esse non dubito.

Adolescentium et suspectarum personarum devita colloquium, nec unquam tecum nisi in audientia illius qui tibi
pro patre est loquatur, et hoc si certa necessitas poposcerit.
Cum nullo itaque advenientium praeter episcopum aut
abbatem vel magni nominis priorem sine ipsius presbyteri
licentia vel praecepto loquaris, ut ipsa difficultas loquendi
tecum, maiorem tibi praestet quietem.

Nunquam inter te et quemlibet virum quasi occasione
exhibendae caritatis, vel nutriendi affectus, vel expetendae
familiaritatis aut amicitiae spiritalis discurrant nuntii,
nec eorum munuscula litterasque suscipias, nec illis tua
dirigas, sicut plerisque moris est, quae zonas vel marsupia,
diverso stamine vel subtegmine variata et caetera huiusmodi adolescentioribus monachis vel clericis mittunt.
Quod fomentum est amoris illiciti, et magni materia mali.
Operare proinde ea quae vel necessitas poscit vel praes-
cribit utilitas, et eorum pretium tuis usibus cedat. Quibus

---

1. Il s'agit du prêtre servant de Père spirituel ; cf. paragraphe
précédent.

ment pour les jeunes filles qui, sur tes conseils, s'efforcent de mener une vie pareille à la tienne.

Si quelque personnage de marque ou de haute réputation, — un abbé, par exemple, ou un prieur, — voulait parler à une recluse, il ne le fera qu'en présence d'un tiers. Je voudrais d'ailleurs que personne ne vînt te rendre visite trop souvent, et que tu ne te livres pas à des confidences avec un hôte trop assidu. En effet, à de trop fréquentes rencontres avec la même personne, la réputation d'une vierge ne peut que perdre, et sa conscience de même. Car plus tu reverras souvent le même visage, plus tu entendras souvent la même voix, plus la représentation s'en imprimera dans ta mémoire. Aussi une recluse doit-elle encore baisser son voile pour s'adresser à un homme ; elle se gardera de dévisager celui qu'elle doit seulement écouter, et cela dans la crainte. Car j'en suis sûr, pour certaines, entendre trop souvent la même voix d'homme ne va pas sans danger.

Évite la compagnie des adolescents et des personnes peu sûres. Ne leur parle qu'en présence de celui qui te sert de père[1], et seulement si la nécessité l'exige. Sauf aux évêques, abbés ou prieurs bien connus, ne parle à aucune personne de passage sans la permission ou l'ordre exprès du prêtre. Ton abord sera ainsi rendu si difficile, qu'on te laissera dans une profonde tranquillité.

N'aie jamais de communication avec aucun homme par l'entremise de messagers, et cela sous quelque prétexte que ce soit : témoignage de sympathie, exhortation à la ferveur, recherche d'affinités ou d'amitiés spirituelles. Ne reçois, ni n'envoie ces lettres et ces petits présents, ces ceintures et ces bourses tissées et brodées de couleurs, que l'on offre — la coutume n'est que trop répandue ! — aux jeunes moines et aux clercs. Ce sont là occasions d'affections défendues et l'origine de bien des misères. Confectionne plutôt des objets utiles et pratiques dont le bénéfice ira

si non egueris, aut ecclesiae, aut pauperibus, sicut diximus, tribuatur.

Ornet etiam omnes motus omnesque sermones inclusae verecundia, quae linguam compescat, iram mitiget, iurgia caveat. Nam quam pudere debet honesta loqui, quantae impudentiae est ut inhonesta, aut lacessita iniuriis aut stimulata furore, loquatur? Inclusa igitur litiganti non respondeat, detrahenti non improperet, lacessenti non contradicat, sed in omnibus quae in occulto vel publico aut obiciuntur aut susurrantur, ex conscientiae serenioris arce contemnat, dicens cum Apostolo : Mihi autem pro minimo est ut a vobis iudicer. Super omnia enim inclusa studere debet, ut tranquillitatem spiritus et pacem cordis iugiter retinens, illum sui pectoris aeternum habeat inhabitatorem, de quo scriptum est : In pace factus est locus eius. Et alias Dominus per prophetam : Super quem, inquit, requiescet Spiritus meus, nisi super humilem et quietum et trementem sermones meos?

Hunc sacratissimum mentis statum, non solum stultiloquia, sed etiam multiloquia evertunt, ut advertas, nihil tibi magis esse sectandum quam silentium.

8. De temporibus loquendi et tacendi[a]. Iam nunc tempus loquendi a tacendi tempore distinguamus.

a. De temporibus loquendi et tacendi *U :* Quibus debet loqui *Talbot.*

---

1. Cf. *Spec. Car.*, I, 31 ; *P. L.*, 195, 534 D-535 B. On rapprochera cette tranquillité intérieure, qui coïncide avec le plein épanouissement de la charité dans l'âme, de l'ἀπάθεια de la tradition monastique orientale.

2. *I Cor.*, 4, 3.

3. *Ps.* 75, 3. Cf. *Sermones inediti* (éd. Talbot), p. 141 : « Eia, fratres, in pace factus est locus eius, id est Dei, et ideo nullus ei alius locus in anima quam pax cordis et tranquillitas mentis. » Aelred semble dépendre ici de Cassien, *Conl.* XII, 11 ; *S. C.*, 54, p. 138

à ton entretien personnel. Donne le superflu, comme je l'ai dit plus haut, pour les frais du culte et les pauvres.

Que tous les actes, tous les entretiens de la recluse soient ornés de cette retenue qui refrène les excès de la langue, apaise les mouvements de colère, et évite les disputes. S'il lui faut déjà rougir de dire honnêtement des choses honnêtes, quelle honte si elle en arrive aux déshonnêtes, provoquée par des mots blessants ou sous le coup de la colère ! La recluse ne répondra donc pas à qui lui cherche noise, ne s'en prendra pas à qui la ravale, ne résistera pas à qui la provoque. Elle n'aura que dédain pour toutes les accusations et les insinuations malveillantes dont on la chargera, en public ou dans l'ombre. Parfaitement sereine dans la citadelle de sa conscience[1], elle redira avec l'Apôtre : « Pour moi, il m'importe peu d'être jugé par vous[2]. » Par-dessus tout, elle s'efforcera de garder toujours la tranquillité de l'âme et la paix du cœur, pour qu'en son intérieur habite l'Hôte éternel, dont il est écrit : « Son lieu, c'est la paix[3]. » Ailleurs, le Seigneur ne dit-il pas par le Prophète : « Sur qui se reposera mon Esprit, sinon sur l'humble et le pacifié qui m'écoute dans la crainte[4] ? »

Ce saint état de l'âme se perd non seulement par des bavardages scandaleux, mais par tout excès dans l'usage de la parole. Rien ne mérite donc autant ton attention que le culte du silence.

8. Quand faut-il parler, et quand se taire? Déterminons à présent des moments pour parler, et des moments consacrés au silence[5].

(Pichery), écho lui-même de l'enseignement d'Évagre le Pontique sur l'ἀπάθεια, condition de la contemplation, et sur les rapports entre le « lieu de Dieu » dans l'âme et la contemplation.

4. *Is.*, 66, 2.

5. Cf. *Eccl.*, 3, 7.

Igitur ab exaltatione sanctae crucis usque ad quadragesimam post completorium usque ad auroram silentium
teneat. Et tunc dicta prima, si aliquid de diurna necessitate
voluerit suggerere servienti, paucis hoc faciat verbis, nihil
cuiquam postea usque ad tertiam locutura.

Inter tertiam vero et nonam his qui supervenerint personis si admittendae sunt competenter respondeat, et
ministris quod placuerit iniungat. Post nonam sumpto
cibo omne colloquium, et dissolutionis materiam caveat,
ne impingatur ei illud quod scriptum est : Sedit populus
manducare et bibere, et surrexerunt ludere. Porro vespertina laude soluta, cum ministra usque ad tempus collationis de necessariis conferat.

Tempore vero quadragesimae, inclusa semper tenere
silentium deberet, sed quia durum hoc impossibileque
putatur, cum confessore suo et ministra rarius quam aliis
temporibus loquatur, et cum nullo alio, nisi forte aliqua
reverenda persona ex aliis provinciis supervenerit.

Post pascha vero usque ad tempus praedictum a comple-
torio usque ad solis ortum silentio custodito, cum horam
primam in divinis obsequiis celebraverit, cum ministris
suis loquatur ; si oportuerit, cum supervenientibus inter
nonam et vesperam. Finita hora vespertina, disponat cum
ministris, si quid opus fuerit usque ad collationem.

9. His inspectis, operi manuum, lectioni et orationi
certa tempora deputemus.

Otiositas quippe inimica est animae, quam prae omnibus
cavere debet inclusa. Est enim omnium malorum parens,

---

1. Cet horaire s'inspire de *Regula S. Benedicti*, XLII : « Ut post
completorium nemo loquatur », et XLVIII : « A Pascha usque kalendas
octobres... A kalendis autem octobris usque caput Quadragesimae...
n Quadragesimae vero diebus... »

2. *Ex.*, 32, 6.

3. *Regula S. Benedicti*, XLVIII.

Depuis l'Exaltation de la sainte Croix jusqu'au Carême, qu'on observe le silence depuis Complies jusqu'à l'aurore[1]. Après Prime, si la recluse veut donner quelques indications aux servantes pour le travail de la journée, qu'elle le fasse brièvement, et qu'elle ne parle ensuite à personne jusqu'à Tierce.

Entre Tierce et None, si quelqu'un se présente qu'il faut recevoir, qu'elle lui réponde ce qui convient ; elle pourra également donner ses ordres à ses servantes à ce moment. Après None, le repas terminé, qu'elle se garde de tout colloque ou de tout ce qui pourrait donner lieu à la dissipation, de peur qu'il ne lui arrive ce qui est écrit : « Le peuple s'assit pour manger et boire, puis ils se levèrent pour jouer[2]. » Après Vêpres, toutefois qu'elle s'entretienne avec les servantes des différentes choses nécessaires, jusqu'à la collation.

Durant le Carême, la recluse devrait garder constamment le silence ; mais puisque cette rigueur est considérée comme excessive et même impossible, qu'elle parle donc avec son confesseur et ses servantes, mais plus rarement qu'en autre temps ; jamais cependant à d'autres personnes, à moins que ne survienne un personnage de marque venant d'une province éloignée.

Après Pâques et jusqu'à l'époque déjà indiquée, gardant toujours le silence de Complies au lever du soleil, elle parlera avec ses servantes après la célébration de l'heure de Prime. Avec les visiteurs, elle ne se le permettra qu'entre None et Vêpres, s'il y a quelque opportunité. Vêpres terminées, elle donnera aux servantes du travail jusqu'à la collation, s'il y a lieu.

Emploi du temps   **9.** Ceci réglé, voyons à disposer le temps pour le travail manuel, la lecture et la prière. L'oisiveté, comme on sait, est l'ennemie de l'âme[3] ; la recluse s'en gardera très particulièrement. L'oisiveté en effet est la mère de tous les maux : elle

libidinis artifex, pervagationum altrix, nutrix vitiorum, fomentum acidiae, tristitiae incentivum. Ipsa pessimas cogitationes seminat, affectiones illicitas creat, suscitat desideria. Ipsa quietis fastidium parit, horrorem incutit cellae. Nunquam proinde te nequam spiritus inveniat otiosam.

Sed quia mens nostra quae in hac vita subdita est vanitati, nunquam in eodem statu permanet, otiositas exercitiorum varietate fuganda est, et quies nostra quadam operum vicissitudine fulcienda.

Itaque a Kalendis novembris usque XL secundum aestimationem suam plus media nocte repauset, et sic surgens cum qua potest devotione secundum formam Regulae beati Benedicti nocturnas vigilias celebret.

Quibus mox succedat oratio quam secundum quod eam Spiritus sanctus adiuverit, aut protelare debet aut abreviare. Caveat autem, ne prolixior oratio fastidium pariat. Utilius est enim saepius orare breviter, quam semel nimis prolixe, nisi forte orationem devotio inspirata, ipso nesciente qui orat, prolongaverit.

Post orationem, in honore beatae Virginis debitum

---

1. L'acédie, qui a été remplacée par la paresse dans notre liste des péchés capitaux, est l'un des huit vices catalogués par Évagre le Pontique ; cf. G. BARDY, art. *Acedia*, dans *Dictionnaire de Spiritualité*, I, col. 166-169.

2. Cf. S. JÉROME, *Epist*. CXXV, 11 ; *P. L.*, 22, 1078 B : « Facito aliquid operis, ut te semper diabolus inveniat occupatum. »

3. Cf. *Rom.*, 8, 20.

4. *Job*, 14, 2. Aelred insiste souvent sur cette mutabilité de la créature, cf. p. ex. *Sermo XVII de Oner.* ; *P. L.*, 195, 431 B, et *De Iesu puero*, II, 11 ; *S. C.*, 60, p. 71 (Hoste-Dubois).

5. Les auteurs monastiques ont souvent insisté sur la nécessité d'alterner les occupations pour éviter l'acédie, cf. déjà *Apophtegmata Patrum*, ser. alph., Antoine 1 ; HILDEMAR, *Expositio Regulae*, cité dans *Dictionnaire de Spiritualité*, II, col. 1937 : « Si autem videmus nos superari a cogitationibus et iam non delectamur in oratione iacere, surgendum est ; deinde aut legendum aut psallendum aut operandum est. »

engendre la sensualité, nourrit le vagabondage et les vices, alimente le feu de l'acédie[1] et de la tristesse. C'est l'oisiveté qui sème les mauvaises pensées, qui incite aux affections illicites et qui allume les désirs coupables. C'est elle qui rend fastidieux le calme de la solitude et fait prendre la cellule en aversion. Que l'esprit malin ne te trouve donc jamais oisive[2].

Mais notre esprit, soumis à la précarité de cette vie[3], ne peut se fixer d'une façon stable[4]. C'est donc par la variété des exercices qu'il nous faudra combattre l'oisiveté, et ce sera par une certaine alternance d'occupations[5] que nous affermirons notre paix.

Ainsi donc, des calendes de novembre au Carême, la recluse reposera un peu au-delà de minuit, selon son estimation[6]. Qu'elle se lève alors et célèbre avec toute la dévotion qu'elle peut les Vigiles nocturnes, selon l'ordonnance de la Règle de saint Benoît.

Après les Vigiles viendra l'oraison, qu'il faudra prolonger ou abréger selon que l'Esprit y aidera ou non. Que l'on prenne garde pourtant qu'une oraison longue n'engendre l'ennui. Il est plus expédient de prier brièvement mais à maintes reprises, que longuement et tout d'une traite[7], à moins que sous l'effet d'un mouvement de ferveur inspiré par la grâce[8], l'oraison ne vienne à se prolonger à l'insu même de celui qui prie[9].

Après l'oraison, elle s'acquittera de l'Office en l'honneur

---

6. Cf. *Regula S. Benedicti*, VIII.

7. Cf. Cassien, *Inst.*, II, 10 ; *C. S. E. L.*, 17, p. 26 (Petschenig) : « Utilius censent breves quidem orationes sed creberrimas fieri » ; *ibid.*, 11 ; *loc. cit.*, p. 27 : « Illud omnimodis providens ne quod taedium... generetur prolixitate psalmorum. »

8. Cf. *Regula S. Benedicti*, XX : « Et ideo brevis debet esse e t pura oratio, nisi forte ex affectu inspirationis divinae gratiae protendatur. »

9. Cf. la maxime de S. Antoine rapportée par Cassien, *Conl.* IX, 31 ; *S. C.*, 54, p. 66 (Pichery) : « Non est, inquit, perfecta oratio, in qua se monachus vel hoc ipsum quod orat intelligit. »

solvat officium, sanctorum commemorationes adiciens. Cave autem ne de numero psalmorum aliquam tibi legem imponas, sed quandiu te psalmi delectant, utere illis. Si tibi coeperint esse oneri, transi ad lectionem, quae si fastidium ingerit, surge ad orationem, sic ad opus manuum his fatigata pertransiens, ut salubri alternatione, spiritum recrees, et pelles acidiam.

Finitis commemorationibus quarum numerum non propositi vel voti necessitas extorqueat, sed inspirans devotio dictet, tempus quod restat usque ad auroram operi manuum cum psalmorum modulatione deserviat. Albescente aurora, matutinas laudes cum horae primae hymnis persolvat, et sic in alternatione lectionum, orationum, psalmorum quorum prout ea devotio variaverit, tertiam expectet. Qua dicta, in opere manuum usque ad horam nonam occupetur. Cibo autem sumpto, et gratiis Deo solutis, ad praescriptam vicissitudinem redeat, spiritalibus exercitiis opus corporale interserens usque ad vesperam. Facto autem parvo intervallo aliquam lectionem de Vitis Patrum, vel Institutis, vel miraculis eorum sibi secretius legat, ut orta ex his aliqua compunctione, in quodam fervore spiritus completorium dicat, et cum pectore pleno devotionis, lectulo membra componat.

Illa sane quae litteras non intelligit, operi manuum

---

1. L'office de la Sainte Vierge s'est largement répandu dans le monachisme occidental à partir de la fin du xe siècle (cf. Dom U. BERLIÈRE, L'ascèse bénédictine des origines à la fin du XIIe s., Maredsous, 1927, p. 49). Cependant, cet office ne figurant pas dans la Règle de S. Benoît, les cisterciens n'en autorisèrent d'abord dans leurs monastères que la récitation privée ; la récitation chorale n'en fut définitivement admise que par le Chapitre général de 1378, et ne devint quotidienne qu'en 1656. Il semble que la pratique cistercienne primitive ait été de placer la récitation privée de cet office après la partie correspondante de l'Office canonial (cf. CONRAD D'EBERBACH, Exordium magnum Cistercii, I, 27) ; c'est ce qu'Aelred prescrit ici à sa sœur.

2. Cf. Dom U. BERLIÈRE, op. cit., p. 181 : « Dans la dévotion

de la Bienheureuse Vierge[1], en y ajoutant les commémoraisons des saints. Aie bien garde de ne pas t'imposer de
règle quant au nombre des psaumes. Sers-toi des psaumes
aussi longtemps que tu t'en trouves bien[2] ; s'ils commencent
à te peser, passe à la lecture ; au moment où elle t'ennuie,
lève-toi pour l'oraison. Fatiguée enfin de ces divers exercices, adonne-toi au travail manuel. C'est ainsi que par une
salutaire alternance tu te récréeras l'esprit et que tu mettras
l'acédie en fuite.

Les commémoraisons terminées — tu ne dois jamais te
lier par vœu ni t'obliger à en dire un nombre fixe, mais
suivre en cela ta dévotion — le temps qui restera jusqu'à
l'aurore sera occupé par le travail manuel accompagné
de la récitation de psaumes. Au point du jour, la recluse
s'acquittera des Laudes matutinales, auxquelles elle joindra
les hymnes de Prime. Elle attendra Tierce en alternant
ainsi lectures, oraisons et psaumes, au gré de sa dévotion.
Après Tierce, qu'elle vaque au travail manuel jusqu'à
None[3]. Ensuite, après le repas et les grâces, elle reprendra
jusqu'à Vêpres l'alternance susdite de travail et d'exercices
spirituels. Un court intervalle suivra les Vêpres, puis elle
lira quelques pages de la Vie des Pères, de leurs Règles ou
de leurs miracles[4]. Elle en retirera un certain sentiment
de componction, de sorte que ce sera avec une vraie ferveur
d'esprit qu'elle récitera Complies ; puis, le cœur tout
rempli de dévotion, elle s'étendra sur sa couche.

La recluse qui ne pourrait pas lire s'appliquera plus
diligemment au travail manuel. Après avoir travaillé un

privée, c'était par les psaumes surtout que l'on priait. Le psautier
était le moule de la prière individuelle. » La discrétion préconisée
par Aelred est conforme à la meilleure tradition du monachisme et
à l'esprit primitif de Cîteaux, cf. GUILLAUME DE SAINT-THIERRY,
Epist. ad fratres de Monte Dei, I, x, 29 ; *P. L.*, 184, 326 D.

3. L'horaire proposé par Aelred dans ce paragraphe et dans les
suivants s'inspire de la Règle de S. Benoît, notamment du ch. XLVIII.

4. Cf. *Regula S. Benedicti*, XLII.

diligentius insistat, ita ut cum paululum fuerit operata, surgat et genua flectat et breviter oret Deum suum, et statim opus quod intermiserat, resumat. Et hoc faciat tempore utroque lectionis scilicet et laboris, dominicam orationem crebrius inter operandum repetens, et si quos psalmos noverit interserens.

10. A Pascha vero usque ad praedictas Kalendas sic surgat ad vigilias ut finitis nocturnis hymnis et orationibus, parvissimo intervallo praemisso, matutinas incipiat, quibus expletis, usque ad plenum solis ortum orationibus vacet et psalmis, et tunc dicta prima, sacrificium diurni operis inchoet, usque ad horam tertiam. Inde lectione usque ad sextam spiritum occupet. Post sextam sumpto cibo pauset in lectulo suo usque ad nonam, et sic usque ad vesperam manibus operetur. Post vesperam vero, orationibus vacet et psalmis, horam collationis ita temperans ut ante solis occasum lectulus membra recipiat. Cavendum est enim omni tempore ne totam diei lucem nox antequam dormitum eat suis obducat tenebris, et dormire cogatur cum vigilare debet.

11. De tempore quadragesimae locuturi, primo excellentiam eius credimus commendandam. Cum multa sint Christianorum ieiunia, omnibus excellit quadragesimale ieiunium, quod divina auctoritate non singulis quibusque personis, non illius vel illius ordinis hominibus, sed omnibus indicitur Christianis.

Habet autem testimonium excellentiae a lege, a pro-

---

1. Cf. *Regula S. Benedicti*, XLI, in fine.
2. Cf. *Sermones inediti* (éd. Talbot), p. 52, et S. BERNARD, *Sermo III in Quadrag.*, 1 ; *P. L.*, 183, 174 D, et *Sermo VII in Quadrag.*, 4 (*ibid.*, 185 A) : « Nunc enim generali quodam totius orbis exercitu contra diabolum Salvator congreditur : beati qui sub tali duce strenue militaverint. »

moment, elle se lèvera, fléchira les genoux, et fera quelque courte prière à son Dieu ; puis elle reprendra aussitôt le travail interrompu. Elle se comportera ainsi durant le temps de la lecture et du travail, récitant fréquemment la Prière du Seigneur au cours de son ouvrage, et y mêlant quelques psaumes, si elle en connaît.

10. Depuis Pâques jusqu'aux dites calendes de novembre que la recluse se lève pour les Vigiles de façon à ce que les hymnes et les oraisons de la nuit soient terminées lorsqu'elle devra commencer les Matines, tout en gardant un très court intervalle entre les deux offices. Les Matines finies, qu'elle vaque aux oraisons et aux psaumes jusqu'à ce qu'il fasse grand jour. Ce sera le moment de dire Prime ; puis commencera le sacrifice du travail quotidien, qui se poursuivra jusqu'à Tierce. Ensuite, jusqu'à Sexte, qu'elle s'occupe l'esprit par la lecture. Après Sexte et le dîner, elle se reposera sur sa couche jusqu'à None. Puis elle travaillera manuellement jusqu'à Vêpres. Après Vêpres, elle reprendra les oraisons et les psaumes. L'heure de la collation sera fixée de façon à ce que la recluse puisse aller s'étendre sur sa couche avant le coucher du soleil[1]. Il faut en effet prendre garde en tout temps à ce que la nuit ne soit pas complètement tombée avant que l'on aille se coucher, afin de n'être pas accablé de sommeil quand c'est le moment de veiller.

Le Carême **11.** Ayant à parler du temps du Carême, il faut, je crois, faire ressortir en premier lieu son excellence. Il y a beaucoup de jeûnes chez les chrétiens, mais le jeûne quadragésimal les dépasse tous. Car c'est par ordre divin qu'il fut prescrit, non à telle ou telle personne, non à telle ou telle catégorie d'individus, mais à tous les chrétiens[2].

Des preuves de cette excellence, on en trouve dans la

phetis, ab evangelio. Nam Moyses famulus Domini ieiunavit quadraginta diebus et quadraginta noctibus, ut
legem Domini mereretur accipere. Elias etiam propheta
cum manducasset de pane subcinericio aquamque bibisset
quam ei angelus ministraverat, ieiunavit quadraginta
diebus et quadraginta noctibus, et tunc vocem Domini
audire promeruit. Dominus etiam Salvator noster cum
ieiunasset quadraginta diebus et quadraginta noctibus
superavit tentatorem, et accesserunt angeli et ministra-
bant ei.

Est ergo ieiunium contra omnia tentamenta impenetra-
bile scutum, in omni tribulatione utile refugium, orationibus nostris irrefragabile fulcimentum. Quantae autem
virtutis sit ieiunium ipse Christus non tacuit. Qui interro-
gantibus discipulis cur demonem qui lunaticum invaserat,
eicere non poterant : Hoc genus, inquit, demoniorum non
potest eici, nisi in ieiunio et oratione.

Licet autem religionis comes semper debeat esse ieiunium, sine quo castitas tuta esse non potest, haec tamen
quadragesimalis observatio magnum in se continet sacra-
mentum. Primus locus habitationis nostrae paradisus fuit,
secundus mundus iste plenus aerumnis, tertius in coelo
cum angelicis spiritibus. Significant autem isti quadraginta dies totum tempus ex quo pulsus est Adam de paradiso usque ad ultimum diem in quo plene liberabimur ex
hoc exilio.

Hic autem sumus in timore, in labore, in dolore, proiecti
a facie oculorum Dei, exclusi a gaudiis paradisi, ieiuni ab
alimento coelesti. Semper autem deberemus hanc mise-
riam nostram considerare et deplorare, et ostendere in

---

1. Les considérations qu'Aelred développe ici sur le symbolisme
du Carême (cf. aussi *Sermones inediti* [éd. Talbot] p. 54-55) s'inspirent
de données traditionnelles ; cf. J. Daniélou, « Le symbolisme des
quarante jours », dans *La Maison-Dieu*, n° 31, p. 19-33.

2. Cf. *Ex.*, 24, 18 ; 34, 28.

Loi, dans les Prophètes et dans l'Évangile[1]. En effet, Moïse, ce serviteur de Dieu, a jeûné quarante jours et quarante nuits pour mériter de recevoir la Loi du Seigneur[2]. Élie, le prophète, après avoir mangé du pain cuit sous la cendre et bu de l'eau apportée par l'ange, jeûna quarante jours et quarante nuits, et obtint alors d'entendre la voix du Seigneur[3]. Et ce fut quand il eût jeûné quarante jours et quarante nuits que notre Seigneur et Sauveur put vaincre le tentateur, et que des anges s'approchèrent et le servirent[4].

Le jeûne est donc un impénétrable bouclier contre toutes les tentations, un précieux refuge dans toutes sortes de tribulations, et pour nos oraisons, un soutien à toute épreuve. Quelle est sa puissance, le Christ lui-même l'a révélé, quand, à propos du démon que les disciples ne parvenaient pas à chasser du lunatique, il leur répondit : « Ce genre de démons ne peut être mis en fuite que par le jeûne et la prière[5]. »

Vie religieuse et jeûne vont de pair, car sans le jeûne, la chasteté n'est jamais à l'abri. Mais il y a plus : l'observance quadragésimale a éminemment valeur de signe. Le premier lieu de notre séjour fut le paradis ; le second, ce monde plein de tribulations ; le troisième sera au ciel, avec les anges et les esprits. Les quarante jours représentent tout le temps compris entre l'expulsion d'Adam du paradis et ce dernier jour où nous serons définitivement libérés de cet exil.

Ici-bas, nous sommes dans la crainte, le travail, la souffrance, chassés loin de la vue de Dieu[6], exclus des joies paradisiaques, sevrés des nourritures célestes. Nous devrions toujours avoir devant les yeux cet état de misère, le déplo-

3. Cf. *I Rois*, 19, 8.
4. Cf. *Matth.*, 4, 1-11.
5. *Matth.*, 17, 20.
6. Cf. *Ps.* 30, 23.

operibus nostris quod sumus advenae et peregrini in mundo.
Sed quia hoc facile non potest humana fragilitas, consti-
tuit Spiritus sanctus certum tempus quo id faciamus, et
quasdam observationes in Ecclesia fieri ordinavit quibus
ipsius temporis causam animadvertere valeamus. Nam ut
ostendat nos pulsos esse et addictos morti propter peccatum, verbum ipsum quod dixit Dominus ad Adam, cum
eum expelleret de paradiso, cum cinerum aspersione dicitur nobis : Pulvis es et in pulverem reverteris. Ut sciamus
etiam quod in hoc exilio negatur nobis visio Dei, oppan-
ditur velum inter nos et sancta sanctorum. Verum ut
reducamus ad memoriam quam longe sumus ab eorum
societate de quibus scriptum est : Beati qui habitant in
domo tua, Domine, in saecula saeculorum laudabunt te,
usitatum verbum laudis, id est Alleluia, intermittimus.
Quod vero nos tempore hoc arctiori ieiunio constringimur
recordari nos facit quod in hac vita coelesti pane non
satiamur.

In hoc igitur tempore omnis Christianus aliquid addere
debet solitis obsequiis, et diligentius et ferventius circa
cordis orisque custodiam occupari, sed inclusa maxime
quae temporis huius rationem tanto melius intelligit,
quanto eam in propria vita sua expressius recognoscit.
In his proinde sacris diebus Christo praecipue placere
desiderans tota se Deo voveat atque sanctificet, omnes
delicias respuat, omnes confabulationes abiuret, et quasi
dies nuptiarum hoc tempus existimans, ad amplexum
Christi omni aviditate suspiret. Frequentius solito incum-
bat orationi, crebrius se pedibus Iesu prosternat, crebra

1. Cf. *Héb.*, 11, 13.
2. *Gen.*, 3, 19 ; cf. rite de l'imposition des cendres.
3. L'usage de tendre une courtine entre le sanctuaire et la nef,
fort répandu au Moyen Age (cf. Durand de Mende, *Rationale div.
offic.*, I, iii, 34-36 et VI, xxxii, 12), a été conservé par les cisterciens
jusqu'à une date très récente.
4. La pratique primitive des cisterciens, conforme à la lettre de

rer, et montrer par nos actes que nous sommes des étrangers
et des voyageurs en ce monde[1]. Cela n'est pas facile à la
faiblesse humaine, aussi l'Esprit-Saint a-t-il déterminé
un temps spécial pour nous y exercer, et prescrit certains
rites à observer dans l'Église, afin d'attirer notre attention
sur ce qui est signifié par ce temps. Pour nous montrer
que nous sommes en exil et soumis à la mort pour le péché,
on nous impose des cendres en répétant les paroles que le
Seigneur dit à Adam lorsqu'il le chassa du paradis : « Tu
es poussière et tu retourneras en poussière[2]. » Pour nous
rappeler que la vision de Dieu nous est refusée dans cet
exil, on tend un voile entre nous et le saint des saints[3] ;
et l'on interrompt le chant de l'Alléluia[4], notre habituelle
louange, pour nous faire sentir combien nous sommes loin
de la compagnie de ceux dont il est écrit : « Heureux ceux
qui habitent votre maison, Seigneur, ils vous loueront dans
les siècles des siècles[5]. » Et si nous sommes astreints en
ce temps à un jeûne plus strict, c'est pour nous rappeler
que le pain céleste ne nous rassasie pas en cette vie.

Tout chrétien doit ajouter quelque chose durant ce temps
à ses dévotions habituelles[6] et s'appliquer plus jalousement
et avec plus de ferveur à la garde du cœur et des lèvres.
La recluse plus que n'importe qui, car elle saisit mieux
l'esprit du Carême, puisque c'est aussi le sens de toute sa
vie. Durant ces saints jours, prise du désir de plaire au
Christ par-dessus tout, qu'elle se voue et se consacre tout
entière à Dieu. Qu'elle se refuse tout agrément, toute
conversation. Qu'elle prenne ce temps pour des jours de
noce, et qu'elle soupire avidement après l'étreinte du Christ.
Elle se livrera plus fréquemment à la prière, elle ira plus

la Règle de S. Benoît, était de garder le chant de l'*Alleluia* pendant
le temps de la Septuagésime, et de ne l'interrompre que pendant le
Carême ; cf. Pierre ABÉLARD, *Epist.* X ; *P. L.*, 178, 339 D.

  5. *Ps.* 83, 5.
  6. Cf. *Regula S. Benedicti*, XLIX.

dulcissimi nominis illius repetitione compunctionem excitet, lacrymas provocet, cor ab omni pervagatione compescat.

Finitis itaque sacris vigiliis, intervallum quod a nocturnis laudibus dividit matutinas orationi et meditationi subserviat, dictaque post matutinas prima, usque ad plenam tertiam psalmis et lectionibus vacet. Tertiae vero horae laude completa, operi manuum usque ad horam decimam devota insistet, breves per intervalla orationes interserens. Dicta post haec vespera, corpus reficiat, et sic tempus completorii psallens expectet.

12. Iam de cibi vel potus qualitate vel quantitate ex abundanti quidem est tibi legem imponere soror, quae ab ipsa infantia usque ad senectutem quae nunc tua membra debilitat parcissimo cibo vix corpus sustentas ; pro aliis tamen quibus id utile futurum arbitraris certam de his praescribere regulam tentabo.

Beatus Benedictus libram panis et eminam potus concedit monacho, quod nos inclusis delicatioribus et infirmioribus non negamus. Adolescentulis tamen et corpore robustis, ab omni quod inebriare potest abstinere utillimum est. Panem nitidum et cibos delicatos, quasi pudicitiae venenum evitet. Sic necessitati consulat, ut et famem repellat, et appetitum non satiet. Itaque quae ad perfectiorem abstinentiam progredi non valent, libra panis et emina lautioris potus contentae sint, sive bis comedant, sive semel.

Unum habeat de oleribus vel leguminibus pulmentum,

1. Cette fréquente invocation du nom de Jésus, qui s'accompagne de « métanies », procure la componction du cœur et les larmes, et constitue un moyen privilégié pour la garde du cœur, rappelle la « prière de Jésus » chère aux moines d'Orient.

2. Cf. *Regula S. Benedicti*, XXXIX-XL. Nombreuses allusions à la Règle de S. Benoît dans tout ce paragraphe.

souvent se prosterner aux pieds de Jésus, elle répétera
souvent son nom très doux : cela provoquera la componction, fera couler ses larmes, bannira de son cœur toute
rêverie[1].

Les saintes Vigiles achevées, qu'elle consacre également
à l'oraison et à la méditation l'intervalle entre les louanges
nocturnes et les Matines. Après Prime, qui suivra les
Matines, elle s'adonnera aux psaumes et à la lecture
jusqu'à la fin de la troisième heure. La louange de Tierce
acquittée, elle se tiendra au travail manuel avec courage
jusqu'à la dixième heure, l'interrompant à intervalles
réguliers pour de courtes prières. Puis elle dira Vêpres, se
restaurera et attendra l'heure de Complies en psalmodiant.

Nourriture et boisson **12.** Pour en venir à la qualité et
à la mesure de la nourriture et de la
boisson, il est bien superflu de t'en indiquer, ma sœur,
quelque règle. C'est à peine si le peu de nourriture que tu
prends parvient à te tenir en vie, et cela depuis ton enfance
jusqu'à ce jour où la vieillesse mine tes membres. Je vais
tenter cependant, pour d'autres à qui cela pourrait être
utile — tu en jugeras —, de régler cette question avec
quelque précision.

Le bienheureux Benoît concède aux moines une livre
de pain et une hémine de boisson[2], ce que nous ne refusons
pas aux recluses plus faibles ou infirmes. Pour les jeunes
et celles qui sont de constitution plus robuste, mieux vaut
qu'elles s'abstiennent en toute prudence de tout ce qui peut
enivrer. La recluse fuira le pain blanc et les mets raffinés
comme un venin mortel à la pureté. On s'en tiendra au
nécessaire, de manière à calmer la faim sans satisfaire
complètement l'appétit. Aussi, celles qui ne peuvent pousser
l'abstinence jusqu'à sa perfection se contenteront
néanmoins d'une livre de pain et d'une hémine de boisson
alcoolisée, que ce soit jour de deux repas ou d'un seul.

Sa réfection se composera d'un plat de légumes, d'herbes

vel certe de farinaciis. Cui modicum olei, vel butyri, vel lactis iniciens, hoc condimento fastidium repellat ; et hoc et ei si ea die coenatura est sufficiat. Ad coenam vero parum sibi lactis vel piscis modicum, vel aliquid huiusmodi si praesto fuerit, apponat, uno genere cibi contenta cum pomis et herbis crudis si quas habuerit. Haec ipsa si semel comederit in die praelibato[a] pulmento possunt apponi.

In vigiliis tamen sanctorum, et quatuor temporum ieiuniis, omni etiam feria quarta vel pro sexta extra quadragesimam, in cibo quadragesimali ieiunet. In quadragesima vero unum ei quotidie sufficiat pulmentum et nisi infirmitas impedierit, sexta feria in pane et aqua ieiunet.

Ab Exaltatione sanctae Crucis usque ad quadragesimam semel in die hora nona reficiat. In quadragesima vero dicta vespera ieiunium solvat. A Pascha usque ad Pentecosten, exceptis Rogationibus et vigilia Pentecostes, ad sextam prandeat, et ad seram coenet. Quod etiam tota aestate faciat, praeter feriam quartam et sextam, et solemnibus ieiuniis. Diebus autem quibus ieiunat in aestate, liceat ei pro somnio meridiano inter matutinos et primam modicum quietis indulgere corpusculo.

13. Porro talia ei vestimenta sufficiant, quae frigus repellant. Grossioribus pelliceis utatur, et pellibus propter hiemem. Propter aestatem autem unam habeat tunicam. Utroque vero tempore, duas de stupacto camisias, vel staminias. Velamen capitis non sit de panno subtili vel pretioso, sed mediocri nigro, ne videatur colore vario affectare decorem. Calceamenta, pedules, caligas, quantum satis fuerit habeat, et paupertatis suae custos, sollicite consideret

a. praelibato *DHMUV :* praelibata *Talbot.*

---

1. Cf. *Regula S. Benedicti*, LV : « Sufficere credimus... »
2. Sur l'usage du linge de corps selon les anciennes coutumes

ou de féculents ; un peu d'huile, de beurre ou de lait ôtera
la fadeur des aliments. Cela suffira si elle soupe ce jour-là.
Au souper, elle prendra un peu de lait, un peu de poisson
ou quelque chose de ce genre : ce qu'elle a sous la main.
Elle se contentera d'un seul plat avec quelques fruits crus
ou de la salade, si elle en a. Fruits et salade dont elle pourra
faire précéder le plat principal, si c'est jour d'un seul
repas.

Aux Vigiles des saints, aux jeûnes des Quatre-Temps et
tous les mercredis et vendredis en dehors du Carême, elle
jeûnera comme en Carême. Un plat doit suffire en Carême,
et les vendredis, à moins que l'infirmité ne l'en empêche,
elle jeûnera au pain et à l'eau.

Depuis l'Exaltation de la Sainte Croix jusqu'au Carême,
elle prendra son unique repas après None. Durant le
Carême, elle rompra le jeûne après Vêpres. De Pâques à la
Pentecôte, sauf pendant les Rogations et la veille de la
Pentecôte, elle déjeûnera à Sexte et soupera le soir. Régime
qui sera observé tout l'été, sauf cependant les mercredis
et vendredis et les jours de jeûne solennel. En été, lorsqu'elle
jeûnera, elle pourra concéder au pauvre corps, au lieu du
sommeil de la méridienne, un peu de repos entre Matines
et Prime.

Vêtement   **13.** Quant aux vêtements enfin, il
suffira[1] qu'ils garantissent du froid.
On se servira de manteaux plus épais et de fourrures pour
l'hiver. En été, la recluse aura une seule robe. En tout
temps, deux chemises d'étoupe ou des étamines[2]. Le voile
qu'elle portera sur la tête ne sera pas de toile fine ni précieuse, mais noire et vulgaire, pour qu'elle n'ait pas l'air
de chercher l'élégance par des couleurs voyantes. Qu'elle
ait ce qu'il faut en fait de sandales, chaussons et bottines.

monastiques, cf. Dom Gougaud, *Anciennes coutumes claustrales*,
Ligugé, 1930, p. 33.

ut etiam aliquantulum minus habeat, quam indulgere sibi posset iusta necessitas.

Haec, soror carissima, de exterioris hominis conversatione non pro antiquitatis fervore, sed pro huius nostri temporis tepore, te compellente scripsi, infirmis temperatum quemdam modum vivendi proponens, fortioribus ad perfectiora progrediendi libertatem relinquens.

Gardant jalousement sa pauvreté, elle fera en sorte d'avoir toujours un peu moins que ce qu'elle pourrait s'accorder par besoin légitime.

Voilà, ma très chère sœur, ce que j'ai rédigé sur le comportement de l'homme extérieur, comme tu me pressais de le faire. Non pas à la mesure de l'antique ferveur, mais compte tenu de la tiédeur de notre époque. J'ai proposé un mode de vie à la portée des faibles, laissant aux plus vaillantes la liberté de tendre à plus parfait[1].

---

1. Cf. *Regula S. Benedicti*, LXIV : « Ut sit et fortes qui cupiant, et infirmi non refugiant. »

14. Sed iam nunc audiat et intelligat verba mea quaecumque abrenuntians mundo vitam hanc solitariam ele-
gerit et abscondi desiderans non videri, et quasi mortua
saeculo in spelunca Christo consepeliri.

Primum cur solitudinem hominum debeas praeferre
consortio, diligenter attende. Virgo, inquit Apostolus,
cogitat quae sunt Dei, quomodo placeat Deo, ut sit sancta
corpore ac spiritu. Voluntarium hoc sacrificium est, oblatio
spontanea, ad quam non lex impellit, non necessitas cogit,
non urget praeceptum. Unde Dominus in Evangelio : Qui
potest capere capiat. Quis potest? Ille certe cui Dominus
hanc inspiraverit voluntatem, et praestiterit facultatem.

Primum igitur, o virgo, bonum propositum tuum ipsi
qui inspiravit cum summa cordis devotione commenda,
intentissima oratione deposcens, ut quod tibi impossibile
est per naturam, facile sentiatur per gratiam.

Cogita semper quam pretiosum thesaurum in quam
fragili portas vasculo, et quam mercedem, quam gloriam,
quam coronam, virginitas servata ministret ; quam insuper poenam, quam confusionem, quam damnationem
importet amissa, indesinenter animo revolve.

Quid hoc pretiosius thesauro, quo coelum emitur,

1. *I. Cor*, 7, 32-34.
2. *Matth.*, 19, 12.
3. Cf. *Regula S. Benedicti*, Prol.

Deuxième partie

DIRECTIVES MORALES

Virginité et chasteté **14.** Maintenant, sois attentive et suis-moi bien, quelle que tu sois qui, renonçant au monde, t'es choisi cette vie solitaire, afin d'échapper aux regards et d'être comme morte au siècle, ensevelie avec le Christ au tombeau.

Tout d'abord, considère soigneusement pourquoi tu dois préférer la solitude à la société des hommes. « La vierge, dit l'Apôtre, pense à ce qui est de Dieu et comment elle plaira à Dieu, pour être sainte de corps et d'esprit[1]. » C'est un sacrifice volontaire, une oblation spontanée. Aucune loi, aucune nécessité, aucun précepte n'y oblige. Aussi le Seigneur dit-il dans l'Évangile : « Que celui qui peut comprendre comprenne[2]. » De qui s'agit-il donc? Évidemment de celui chez qui le Seigneur a éveillé ce désir, et à qui il a donné le moyen de le réaliser.

Confie donc avant tout, ô vierge, avec toute la ferveur de ton cœur, ta bonne résolution à celui qui te l'a inspirée. Demande-lui, en une ardente prière[3], de te rendre facile par grâce ce qui est impossible à la nature.

Souviens-toi toujours combien est précieux le trésor que tu portes, et combien fragile l'écrin ! Pense à la récompense, à la gloire, à la couronne que te vaudra cette virginité gardée. Et d'autre part, songe sans cesse à la confusion, à la peine, au châtiment qui t'attendent si tu la perds.

Existe-t-il trésor plus précieux? On en achète le ciel,

angelus delectatur, cuius Christus ipse cupidus est, quo illicitur[a] ad amandum et ad praestandum. Quid? Audeo dicere : seipsum, et omnia sua. Itaque nardus virginitatis tuae etiam in coelestibus dans odorem suum, facit ut concupiscat rex decorem tuum et ipse est Dominus Deus tuus. Vide qualem tibi sponsum elegeris, qualem ad te amicum asciveris. Ipse est speciosus forma prae filiis hominum, speciosior etiam sole, et super omnem stellarum pulchritudinem. Spiritus eius super mel dulcis, et haereditas eius super mel et favum. Longitudo dierum in dextera eius, in sinistra eius, divitiae et gloria.

Ipse te iam elegit in sponsam, sed non coronabit nisi probatam. Et dicit Scriptura : Qui non est tentatus, non est probatus. Virginitas aurum est, cella fornax, conflator diabolus, ignis tentatio. Caro virginis, vas luteum est, in quo aurum reconditur, ut probetur. Quod si igne vehementiori crepuerit, aurum effunditur, nec vas ulterius a quolibet artifice reparatur.

15. Haec virgo iugiter cogitans pretiosissimum virginitatis thesaurum, qui iam utiliter possidetur, tam irrecuperabiliter amittitur, summa diligentia, summo cum timore custodiat. Cogitet sine intermissione ad cuius ornatur thalamum, ad cuius praeparatur amplexum. Proponat sibi agnum, quem sequi habet quocumque ierit. Contempletur beatissimam Mariam cum virginitatis tympano

---

a. illicitur *HMV* : illicitus *Talbot.*

---

1. Cf. *Cant.*, 1, 11.
2. Cf. *Ps.* 44, 12.
3. Cf. *Ps.* 44, 3.
4. Cf. *Sag.*, 7, 29.
5. *Sag. Sir.*, 24, 27.
6. *Prov.*, 3, 16.
7. *Sag. Sir.*, 34, 9.

l'ange s'en délecte, le Christ lui-même en est avide ; séduit
par elle, il est tout disposé à aimer et à faire des largesses.
Quelles largesses ? J'ose le dire : il se donne lui-même et
il donne tout ce qu'il a. C'est ainsi que le parfum de ta
virginité embaume jusqu'aux cieux[1] : grâce à lui, le Roi
s'éprend de ta beauté, lui, le Seigneur ton Dieu[2]. Voilà
l'ami que tu t'es fait, l'époux que tu t'es choisi. Lui, le
plus beau des enfants des hommes[3], plus brillant que le
soleil, plus splendide que les étoiles[4]. Son esprit est plus
doux que le miel, et son héritage plus que le miel et le
suc des rayons[5] La longueur des jours est dans sa droite
et, dans sa gauche, la richesse et la gloire[6].

Il t'a déjà choisie pour épouse, mais n'est couronnée que
celle qui a fait ses preuves. Or l'Écriture dit : « Celui qui
n'est pas tenté n'a pas fait ses preuves[7]. » La virginité est
comme l'or, la cellule est la fournaise, le fondeur est le
diable, et le feu la tentation. Le corps de la vierge est un
creuset de terre, dans lequel l'or est éprouvé ; qu'il vienne
à se briser sous l'ardeur du feu, l'or se répand, et nul
artisan désormais ne pourra le réparer.

15. C'est en méditant sans cesse sur cet inestimable
trésor de la virginité, qu'il est si avantageux de posséder,
et qu'on perd une fois pour toutes, que la vierge le conservera, toujours sur ses gardes et attentive. Qu'elle ait toujours à l'esprit pour quelles épousailles elle se pare, à
quelle étreinte elle s'apprête. Qu'elle ait devant les yeux
l'Agneau qu'il lui faut suivre partout où il va[8]. Qu'elle
contemple la très heureuse Marie[9] en tête du chœur des
vierges, entonnant sur le tambourin de la virginité le

8. Cf. *Apoc.*, 14, 4.
9. Il s'agit de Marie, Mère du Seigneur, dont Marie, sœur de
Moïse (cf. *Ex.*, 15, 20), était la figure ; cf. S. Ambroise, *De virginibus*,
II, ii, 17 ; *P. L.*, 16, 211 B.

choros virginum praecedentem et praecinentem dulce
illud canticum, quod nemo potest canere nisi utriusque
sexus virgines, de quibus scriptum est : Hi sunt qui cum
mulieribus non sunt coinquinati, virgines enim sunt. Nec
sic hoc dictum aestimes, quasi non vir sine muliere, aut
mulier sine viro possit foedari, cum detestandum illud
scelus quo vir in virum, vel femina furit in feminam,
omnibus flagitiis damnabilius iudicetur. Sed et absque
alienae carnis consortio virginitas plerumque corrumpitur,
castitas violatur, sed vehementior aestus carnem concu-
tiens, voluntatem sibi subdiderit, et rapuerit membra.

Cogitet semper virgo omnia sua membra sanctificata
Deo, incorporata Christo, Spiritui sancto dedicata. Indignum iudicet quod Christi est tradere Satanae, virginea
eius membra erubescat vel simplici motu maculari. Ita
proinde in virginitatis suae custodiam totum animum
tendat, cogitationes expendat, ut virtutis huius perfectionem esuriens, famem delicias putet, divitias paupertatem. In cibo, in potu, in somno, in sermone, semper ti-
meat dispendium castitatis, ne si plus debito carni reddi-
derit, vires praebeat adversario, et occultum nutriat
hostem.

Sedens igitur ad mensam decorem pudicitiae mente
revolvat, et ad eius perfectionem suspirans cibos fasti-
diat, potum exhorreat. Et quod sumendum necessitas
iudicaverit, cum dolore ac pudore aliquando cum lacrymis
sumat.

Si ei sermo fuerit cum aliquo, semper metuat aliquid
audire, quod vel modicum serenitatem castitatis obnu-
bilet ; deserendam se a gratia non dubitet, si vel unum
verbum contra honestatem proferat.

---

1. Cf. *Apoc.*, 14, 14.

cantique que seuls peuvent chanter ces vierges des deux
sexes, dont il est écrit : « Ceux-ci ne se sont pas souillés
avec les femmes, car ils sont vierges[1]. » Ne va pas interpréter
ce texte en ce sens qu'un homme ne pourrait perdre sa
pureté sans le commerce d'une femme, ni une femme sans
le commerce d'un homme : ne considère-t-on pas comme
la pire des infamies cette faute détestable où l'homme se
porte vers l'homme, la femme vers la femme ? Mais
d'ailleurs, le plus souvent la virginité se corrompt, la
chasteté se perd sans aucun commerce charnel : une ardeur
plus véhémente met la chair en feu, s'impose à la volonté
et surprend les membres.

La vierge doit toujours se souvenir que tous ses membres
sont consacrés à Dieu, incorporés au Christ, dédiés à
l'Esprit-Saint. Qu'elle regarde comme une indignité de
livrer à Satan ce qui est au Christ. Qu'elle rougisse de laisser
son corps virginal se souiller par le moindre mouvement
charnel. Qu'elle mette enfin tout son courage et toute sa
vigilance à garder cette virginité ; alors, affamée de la
perfection de cette vertu, la faim deviendra ses délices et
la pauvreté sa richesse. Dans le boire et le manger, le
sommeil, les conversations, elle verra des dangers pour la
chasteté, car en accordant au corps plus qu'il n'exige, on
livre des armes à l'adversaire, on ravitaille un ennemi qui
est déjà dans la place.

En se mettant à table, elle pensera à la beauté de la
pureté, elle aspirera tellement à sa perfection, que la
nourriture l'écœurera et qu'elle prendra la boisson en
horreur, de sorte que c'est avec confusion et à grand
peine, parfois même avec des larmes, qu'elle prendra le
strict nécessaire.

Si elle doit converser avec quelqu'un, qu'elle appréhende
toujours d'entendre quelque chose qui pourrait ternir le
moins du monde la sérénité de sa conscience. Et qu'elle
ne se fasse pas d'illusion : à la première parole déshonnête,
la grâce l'abandonnera.

16. Prostrata lectulo pudicitiam tuam commenda Deo,
et sic signo crucis armata, revolve animo quomodo die
illo vixisti, si verbo, si opere, si affectu, Domini tui oculos
offendisti, si levior, si otiosior, si negligentior debito fuisti,
si plusculo cibo crudior, potu dissolutior, metas necessitatis excessisti. Si subreptum tibi aliquid horum deprehenderis, suspira, pectus tunde, et hoc sacrificio vespertino, tuo reconciliatam sponso, somnus excipiat.

Si vigilanti subito, aut ex quiete soporis, aut arte tentatoris calor corporis fuerit excitatus, et in somnium callidus
hostis invexerit, diversisque cogitationibus quietem pudicitiae infestaverit, proposuerit delicias, vitae durioris
horrorem incusserit, veniant tibi in mente beatae virgines,
quae in tenera aetate tam crebro reportarunt de impiissimo
hoste triumphum. Cogita Agnem beatissimam, a qua
aurum, argentum, vestes pretiosissimae, lapides pretiosi,
et tota saecularis gloriae pompa, quasi quaedam stercora
sunt reputata. Vocata ad tribunal non abfuit. Blandiebatur
iudex, contempsit. Minabatur, irrisit, magis metuens ne
parceret, quam ne puniret. Felix quae lupanar vertit in
oratorium, quod cum virgine ingrediens angelus lucem
infudit tenebris, et insectatorem pudicitiae morte multavit.
Si igitur et tu oraveris et contra libidinis incentorem
lacrymarum tuarum arma levaveris, non certe angelus
tuo casto deerit cubiculo, qui prostibulo non defuit.
Merito beatam Agnem ignis iste materialis nequivit adurere,
cui carnis flamma tepuerat, quam ignis succenderat
caritatis.

Quotiescumque tibi vehementior incubuerit aestus,

---

1. Expression reprise de S. Augustin, *De natura et gratia*,
XXXVIII, 45 ; *P. L.*, 44, 269, où sont énumérés les « péchés des
justes » : « Verum quia saepe in levissimis et aliquando incautis
obrepit peccatum, et iusti fuerunt, et sine peccato non fuerunt. »

2. Cf. S. Ambroise, *De virginibus*, I, ii, 5-9 ; *P. L.*, 16, 189-191
(= *Brev. cist.*, In festo S. Agnetis, ad Vigilias, lect. in II Nocturno).

3. Cf. *Phil.*, 3, 8.

16. Étendue maintenant sur ta couche, recommande à Dieu ton innocence. Arme-toi d'un signe de croix et repasse en esprit toute ta journée. As-tu offensé le regard de ton Seigneur en paroles, en actions, en affections ? As-tu été légère, oisive, négligente au devoir ? As-tu dépassé les bornes de la nécessité en te laissant alourdir d'un peu trop de nourriture[1], égayer par trop de boisson ? Si sur un de ces points tu t'es laissée surprendre, soupire et frappe-toi la poitrine. Tu te réconcilieras avec ton Époux par ce sacrifice du soir, et le sommeil viendra.

Si, te réveillant en sursaut, tu éprouves quelque trouble charnel, soit par suite de la torpeur du sommeil, soit par quelque artifice du tentateur ; si la ruse de l'ennemi s'est mêlée à tes songes, si elle t'a entraînée dans des imaginations qui troublent la paix de ta conscience, s'il t'a suggéré les plaisirs et t'a inspiré l'horreur de la vie rude, alors souviens-toi des victoires que remportèrent si souvent sur ce cruel ennemi, dès leur plus tendre jeunesse, ces vierges bienheureuses. Souviens-toi de la bienheureuse Agnès[2], pour qui l'or, l'argent, les robes de prix, les pierres précieuses, tout le luxe et tout l'éclat du monde, n'étaient qu'ordures[3]. Appelée devant le tribunal, elle ne s'esquive pas ; le juge lui sourit, elle le méprise ; il la menace, elle s'en moque, car elle craint bien plus d'être épargnée que d'être condamnée. La bienheureuse ! Elle transforme la maison de plaisir en maison de prière ; avec elle un ange y pénètre, qui remplit de lumière ces lieux de ténèbres et frappe de mort celui qui allait attenter à sa pudeur. Si donc toi aussi tu pries, si tu lèves contre l'instigateur des passions les armes de tes larmes, il est certain que l'ange qui ne crut pas devoir éviter le lieu de débauche ne sera pas absent de ta chambre très pure. Rien d'étonnant à ce que le feu matériel n'ait pu vaincre la bienheureuse Agnès, car en elle le feu de la chair était étouffé par un ardent brasier de charité.

Quand le bouillonnement des passions se fera plus violent,

quoties nequam spiritus illicita quaeque suggesserit, illum
qui scrutatur corda et renes scito esse praesentem, et sub
eius esse oculis quicquid agis vel cogitas. Habe proinde
reverentiam angelo quem tibi assistere non dubites, et
tentatori responde : Angelum Dei habeo amatorem, qui
nimio zelo custodit corpus meum.

Adiuvet conatum tuum in tali necessiate districtior
abstinentia, quia ubi multa carnis afflictio, aut nulla aut
parva potest esse delectatio.

17. Nemo se palpet, nemo blandiatur sibi, nemo se
fallat : nunquam ab adolescentibus, sine magna cordis
contritione et carnis afflictione castitas conquiritur vel
servatur, quae plerumque in aegris vel senibus periclitatur.

Nam licet continentia donum Dei sit, et nemo possit esse
continens nisi Deus det, nec ullis nostris meritis donum
hoc, sed eius gratuitae sit gratiae ascribendum, illos tamen
tanto dono indignos iudicat, qui aliquid laboris pro eo
subire detrectant, volentes inter delicias casti esse, inter
epulas continentes, inter puellas conversari et non tentari,
in commessationibus et ebrietatibus foedis distendi humoribus et non inquinari, ligare in sinu suo flammas et non
exuri. Difficile hoc, utrum autem[a] impossibile, tu videris.

18. Novi ego monachum, qui cum in initio suae
conversationis, tum naturalibus incentivis, tum violentia
vitiosae consuetudinis, tum suggestione callidi tentatoris,

a. *post* autem *add.* cum Talbot *(lectiones variae apud codd.; loc.
incert.).*

---

1. Cf. *Ps.* 7, 10.
2. *Brev. cist.*, In festo S. Caeciliae, antiph. ad Primam.
3. Cf. *Rom.*, 13, 13.
4. Cf. *Prov.*, 6, 27 ; cf. S. Jérôme, *Epist.* XXII, 14 ; Labourt, I,
p. 124.

quand l'esprit mauvais viendra te suggérer des choses
défendues, sache que celui qui scrute les reins et les cœurs[1]
est toujours là présent, et que tout ce que tu fais ou penses
est sous ses yeux. Aie aussi révérence pour l'ange qui
t'assiste, comme tu en as l'assurance, et réponds au tentateur : « J'ai un ange de Dieu pour ami, qui garde mon corps
avec un soin jaloux[2]. »

Une abstinence plus stricte soutiendra ton effort dans
de telles difficultés, car lorsque la chair est à la peine, il n'y
a que peu ou point de place pour le plaisir.

17. Que personne ne se fasse illusion, que personne ne
se vante ni ne se leurre : chez les adolescents, la chasteté
ne se conquiert et ne se garde que par une grande contrition
du cœur et une grande mortification corporelle, elle qui
court encore bien des dangers chez les malades et les
vieillards.

Sans doute, la continence est un don de Dieu ; personne
n'est continent si Dieu ne lui en fait la grâce, et ce don ne
doit jamais être attribué au mérite de l'homme, mais
seulement au geste gratuit de Dieu. Cependant, Dieu en
juge indignes ceux qui ne font aucun effort pour l'obtenir,
qui s'imaginent pouvoir rester chastes au milieu des
plaisirs, continents parmi les festins, qui pensent pouvoir
fréquenter les jeunes filles sans être tentés, s'emplir de
vapeurs excitantes dans les banquets et les beuveries[3] et
ne pas faire le mal, se lier des flammes sur la poitrine et ne
pas brûler[4]. N'est-ce point là chose difficile, ou plutôt
impossible ? A toi d'en juger.

Son cas personnel   **18.** J'ai connu un moine[5] qui, au
                          début de sa carrière monastique, eut
sérieusement à craindre pour sa chasteté, du fait des

5. Il s'agit d'Aelred lui-même ; cf. *Sermo XXIII de Oner.* ;
P. L., 195, 454 C et *Spec. car.*, I, 28 ; *ibid.*, 532-533.

pudicitiam suam periclitari timeret, erexit se contra se,
et adversus carnem suam immanissimum concipiens odium,
nihil magis quam quod eam afflictaret appetebat. Itaque
inedia macerabat corpus, et quae ei de iure debebantur
subtrahens, etiam motus eius simplices comprimebat. Sed
cum iterum nimia debilitas sibi plus indulgere compelleret,
ecce caro rursus caput erigens, acquisitam, ut putabatur,
infestabat quietem. Plerumque vero se frigidis aquis
iniciens, tremens aliquandiu psallebat et orabat. Saepe
etiam illicitos sentiens motus, urticis fricabat corpus, et
nudae carni apponens incendium incendio superabat.

Et cum haec omnia non sufficerent, et nihilominus eum
spiritus fornicationis urgeret, tunc, quod solum superfuit,
prostratus ante pedes Iesu orat, plorat, suspirat, rogat,
adiurat, obtestatur, ut aut occidat, aut sanet. Clamat
crebro : Non abibo, non quiesco, nec te dimittam nisi
benedixeris mihi. Praestatur ad horam refrigerium, sed
negatur securitas. Quiescentibus enim paululum carnis
stimulis, affectiones illicitae pectus invadunt. Deus meus
quas cruces, quae tormenta tunc pertulit miser ille, donec
tarda ei infusa est delectatio castitatis, ut omnes quae
sentiri possunt vel cogitari carnis vinceret voluptates. Et
tunc quoque recessit ab eo, sed usque ad tempus, et nunc
senectuti morbus accessit, nec sic tamen sibi de securitate
blanditur.

---

1. Sur cette forme d'ascèse, cf. Dom A. Hoste, dans Aelred de
Rievaulx, *Quand Jésus eut douze ans* (*S. C.*, 60), Introduction, p. 17,
note 3.

2. Cf. dans la vie de S. Benoît, l'épisode du buisson d'épines de
Subiaco, raconté par S. Grégoire le Grand, *Dialog.*, II, 2 ; *P. L.*,
66, 132 C : « Vicit itaque peccatum, quia mutavit incendium. »

3. Cf. *Gen.*, 32, 26.

4. Cf. S. Augustin, *De spiritu et litt.*, n. 51 : « Ut inspirata gratiae
suavitate per Spiritum Sanctum faciat (misericordia Dei) plus
delectare quod praecipit, quam delectat quod impedit. »

aiguillons de la chair, de la force de l'habitude et des suggestions du tentateur. Il se dressa alors contre lui-même,
et, animé à l'égard de sa propre chair d'une haine farouche,
se mit à désirer plus que tout ce qui pouvait être pénible
au corps. Il le matait en le privant de nourriture, lui
refusait le strict nécessaire, et en réprimait ainsi jusqu'aux
mouvements les moins répréhensibles. Mais il devint
tellement faible qu'il dut prendre des ménagements ; la
chair reprit aussitôt le dessus et la paix qu'il croyait assurée
fut à nouveau troublée. Il se plongeait très souvent dans
l'eau froide et, tout transi, il y restait durant un moment
psalmodiant et priant[1]. Souvent aussi, sentant un mouvement illicite, il frictionnait son corps d'orties. Il couvrait
sa chair nue de brûlures, et étouffait ainsi un incendie par
un autre[2].

Et comme tout cela ne suffisait pas encore, que l'esprit
de fornication le harcelait toujours, il fait cette seule
chose qui lui restait encore à faire : prosterné aux pieds
de Jésus, il prie, il pleure, il soupire, il implore, il insiste,
il supplie : Ah ! qu'il le tue ou le guérisse. Il ne cesse de
crier : « Je ne m'en irai pas, je ne cesserai pas, je ne te
quitterai pas, que tu ne m'aies béni[3] ! » Il en éprouva sur
le champ un certain apaisement, mais ce n'était pas encore
la paix assurée. Les aiguillons de la chair s'émoussèrent
un peu, mais voilà maintenant que des affections défendues
envahissaient son cœur. Mon Dieu ! quelles croix, quels
tourments le pauvre n'eut-il pas à endurer ! A la fin
pourtant, la grâce lui rendit la chasteté si attirante qu'il
en délaissa toutes les voluptés charnelles que l'on peut
éprouver ou imaginer[4]. Le tentateur le quitta à ce moment,
mais pour un temps[5], et maintenant qu'à la vieillesse vient
s'ajouter la maladie, il ne se flatte pas, même ainsi, d'être
à l'abri.

5. Cf. *Lc*, 4, 13.

19. Unde non parum pudet quorumdam impudentiae, qui cum in sordibus senuerint, nec sic suspectarum personarum volunt carere consortio. Cum quibus quod dictu nefas est eodem lectulo cubantes, inter amplexus et oscula de sua castitate se dicunt esse securos, quod frigescente corpore ad scelus perficiendum tepescentia membra deficiant. Infelices isti et prae cunctis mortalibus miseri, quibus cum desit sceleris perpetrandi facultas, adhuc manet in ipsa foeditate voluntas, nec quiescit tempore desiderium, quamvis ei frigiditas neget effectum. Videat tamen utrum verum dicat an mentiatur iniquitas sibi, et dum nititur velare unum, duplex in se prodat flagitium, cum et fere decrepitos nocturnum aliquando phantasma deludat, et[a] emortuam senectutem intestinum hoc malum saepius[b] inquietet.

20. Te, soror, nunquam volo esse securam, sed timere semper, tuamque fragilitatem habere suspectam, et instar pavidae columbae frequentare rivos aquarum, et quasi in speculo accipitris cernere supervolantis effigiem, et cavere. Rivi aquarum sententiae sunt Scripturarum, qui[c] de limpidissimo sapientiae fonte profluentes, diabolicarum suggestionum produnt imaginem, et sensum quo caveantur elucidant. Nihil enim magis cogitationes excludit inutiles, vel compescit lascivas quam meditatio verbi Dei, cui sic

a. et *DMUV om. Talbot.*
b. saepius *DHMUV* : sopitos *Talbot.*
c. qui *DHMUV :* quae qui *Talbot.*

1. Cf. S. Jérôme, *Epist.* XXII, 14 ; Labourt, I, p. 123-124.
2. Cf. *Ps.*, 26, 12.
3. Le terme de *meditatio* garde ici la signification qu'il avait dans l'ancienne tradition monastique : « Pour les anciens, méditer, c'est lire un texte et l'apprendre *par cœur* au sens le plus fort de cette expression, c'est-à-dire avec tout son être : avec son corps puisque la bouche le prononce, avec la mémoire qui le fixe, avec l'intelligence qui en comprend le sens, avec la volonté qui désire le mettre en pratique » (Dom J. Leclercq, *L'amour des lettres et le désir de Dieu,*

19. Aussi de quelle honte, de quelle impudence certains
ne se rendent-ils pas coupables, qui, ayant vieilli dans la
débauche, n'en continuent pas moins leurs relations
suspectes. Ils partagent le même lit, j'ai honte de le dire,
s'étreignent et s'embrassent, se targuant de n'avoir rien
à craindre, leurs membres étant devenus impuissants à
accomplir le mal[1]. Malheureux et plus misérables qu'aucun
mortel, si le moyen de perpétrer le crime leur fait défaut,
leur volonté, elle, reste vicieuse. L'impuissance ôte le
plaisir, mais l'âge n'éteint pas le désir. Voire encore s'ils
disent vrai, car dans leur malice ils sont bien capables
de se tromper à dessein[2] et pour cacher un péché d'en ajouter
un second. Car c'est un fait : l'illusion nocturne se joue
parfois de nous jusqu'au seuil de la décrépitude, et souvent
cette misère vient troubler une vieillesse épuisée.

Le miroir   **20.** Quant à toi, ma sœur, je vou-
des Écritures   drais que tu ne te sentes jamais en
sécurité, que tu craignes sans cesse et que tu te défies de
ta faiblesse. A l'instar de la colombe craintive, prends
l'habitude d'aller guetter à la surface des eaux si l'oiseau
de proie ne vient pas s'y refléter comme en un miroir tandis
qu'il plane au-dessus de toi. Tu seras alertée. Les cours
d'eau sont les sentences de l'Écriture ; ils coulent des
sources très pures de la Sagesse. Elles feront apparaître
l'image des suggestions diaboliques et éveilleront en toi
l'instinct de les éviter. Rien ne chasse et ne réprime mieux
les pensées inutiles ou volages que la méditation de la
parole de Dieu[3]. La vierge doit se la rendre tellement

p. 23). Cf. Guillaume de Saint-Thierry, *Epist. ad fratres de Monte
Dei*, I, x, 31 ; *P. L.*, 184, 327 D : « De quotidiana lectione aliquid
quotidie in ventrem memoriae dimittendum est, quod fidelius dige-
ratur, et sursum revocatum crebrius ruminetur... quod detineat
animum ut aliena cogitare non libeat » ; *ibid.*, xi, 34 ; 329 D : « Iturus
ergo ad somnum semper aliquid defer tecum in memoria vel in
cogitatione, in quo placide obdormias, quod nonnumquam etiam
somniare iuvet... » ; *Formula honestae vitae* (anon.), 9 ; *P. L.*, 184,

animum suum virgo debet assuescere, ut aliud volens, non possit aliud meditari. Cogitanti de Scripturis somnus obrepat, evigilanti primum aliquid de Scripturis occurrat, dormientis somnia haerens memoriae aliqua de Scripturis sententia condiat.

21. Sed quidam a salutaribus exercitiis quodam retrahuntur timore, ne videlicet propter nimiam abstinentiam vel vigilias immoderatas incidant in languorem, et ita efficiantur aliis oneri, sibi autem dolori.

Haec excusatio nostra in peccatis nostris. Quam pauci, quam pauci sunt hodie, quos talis fervor ignivit. Omnes sapientes sumus, omnes providi, omnes discreti. Procul odoramus bellum, et sic morbum corporis antequam sentiatur formidamus, ut languorem animae quem praesentem sentimus, territi negligamus, quasi tolerabilius sit flammam libidinis quam ventris tolerare rugitum, aut non multo melius sit continuo languore carnis vitare lasciviam, quam sanum et incolumen in eius redigi servitutem. Quid enim interest utrum abstinentia an languore caro superbiens comprimatur, castitas conservetur? Sed remissio, inquit, cavenda est, ne forte occasione infirmitatis, incurramus illecebras voluptatis. Certe si languet, si egrotat, si torquentur viscera, si arescit stomachus, quaelibet deliciae oneri magis erunt quam delectationi.

1170 C : « Ruminantem psalmos somnus te occupet, ut in som somnies te dicere psalmos ». Cette incessante « rumination » d Écritures est l'un des traits essentiels de la spiritualité monastique cf. p. ex. Cassien, *Conl.* I, 17 ; *S. C.*, 42, p. 98 (Pichery), et *Inst.*, II, 14-15 ; *C. S. E. L.*, XVII, 29-30 (Petschenig) ; S. Jérôme, *Epist.* XXII, 37 ; Labourt, I, p. 153 ; S. Césaire d'Arles, *Statut. inclus.*, 22, etc.

1. Cf. *Ps.* 140, 4.

familière qu'il lui deviendra impossible, le voudrait-elle
de s'entretenir intérieurement d'autre chose. Que le sommeil
te trouve tout occupée à des pensées de l'Écriture ; qu'à
ton réveil, aussitôt quelque passage t'en revienne à l'esprit,
et, durant ton sommeil, qu'un verset de l'Écriture encore,
hantant ta mémoire, vienne illustrer tes songes.

La fausse discrétion **21.** Il s'en trouve cependant qui
abandonnent ces exercices salutaires,
de peur de tomber en faiblesse à la suite d'une trop grande
abstinence ou de veilles immodérées. Ils craignent, disent-
ils, de devenir à charge aux autres aussi bien qu'à eux-
mêmes.

La voilà bien, notre excuse dans nos péchés[1] ! Bien rares,
oui, bien rares sont de nos jours ceux qu'une excessive
ferveur embrase. Nous sommes tous sages, tous pré-
voyants, tous pleins de discrétion. Nous sentons de loin
venir le combat ; nous avons une telle frayeur de la maladie
du corps, avant même d'en éprouver l'atteinte, que,
terrifiés, nous ne songeons même pas à la maladie de l'âme
qui nous envahit déjà. Comme si les feux de la concupiscence
étaient plus supportables que les brûlures de l'estomac !
Comme s'il n'était pas de loin préférable d'éviter les
passions de la chair par un continuel affaiblissement de
celle-ci, que de leur livrer en servitude un corps débordant
de santé ! Peu importe que ce soit par l'abstinence ou par
la maladie, pourvu que l'orgueil de la chair soit maté et
la chasteté sauvée. « Mais le relâchement, dira-t-on, est à
craindre : on prendra excuse de l'infirmité pour céder à
l'attrait du plaisir. » Ah oui ! lorsqu'on est languissant,
malade, quand les entrailles se tordent, quand l'estomac
se dessèche, les meilleures choses deviennent bien plus
un poids qu'une jouissance[2] !

2. Cf. *supra*, les dernières lignes du § **16**.

22. Vidi hominem qui cum in pueritia sua, vi consuetudinis oppressus, continere non posset, tandem in se reversus
supra modum erubuit, et mox concaluit cor eius intra eum,
et in meditatione eius exarsit ignis. Deinde salubriter
irascens sibi, invectione gravissima irruit in seipsum, et
bellum indicens corpori, etiam ei quae necessaria videbantur
ademit. Successit gravitas levitati, loquacitati silentium.
Nemo eum postea vidit iocantem, ridentem nemo cons-
pexit, nemo ex ore eius otiosum sermonem audivit,
temporales consolationes et quicquid carni suave putabat,
ita contempsit et exhorruit, ut nullam sibi requiem, nullam
in cibo vel potu consolationem indulgeri pateretur. Cogitationum suarum ita sollicitus et scrupulosus erat, ut in hoc
solo nimius videretur. Ita demisso vultu oculisque deiectis
stabat, sedebat, et incedebat, ut tremens et timens divinis
tribunalibus videretur assistere. Talibus armis gloriosum
retulit de tyranno triumphum. Nam gravissimum stomachi
incurrens incommodum post diuturnum languorem, cum
iam dormitionis eius instaret hora : Sine, inquit, ecce
Iesus venit.

23. Nec hoc dico ut discretioni, quae omnium virtutum
et mater et nutrix est, derogem ; sed vitiorum materias,
gulam, somnum, requiem corporis, feminarum et effemi-
natorum familiaritatem atque convictum infra metas
necessarias cohibeamus, qui saepe falso nomine discretionis
palliamus negotium voluptatis. Vera enim discretio est

---

1. Il s'agit très probablement de l'ami dont Aelred parle dans le
De spiritali amicitia; P. L., 195, 688 B, 698 B-700 B, et qu'il faut
sans doute identifier avec Geoffroy de Dinan (cf. F. M. Powicke,
dans Walter Daniel, *The Life of Ailred of Rievaulx,* Introduction,
p. lxvii, et J. Dubois, dans Aelred de Rievaulx, *L'amitié spirituelle,* Introduction, p. lxxxviii).

2. Cf. *Ps.* 38, 4.

3. Cf. Cassien, *Conl.* II, 4 ; *S. C.,* 42, p. 116 (Pichery) : «Omnium
namque virtutum generatrix, custos moderatrixque discretio est. »

4. La conception de la discrétion qui s'exprime ici pourra paraître

22. J'ai connu quelqu'un[1] qui, dans sa jeunesse, ne pouvait être continent, tenaillé qu'il était par la force de l'habitude. Faisant retour sur lui-même, il se mit à en rougir, son cœur s'échauffa, et, à force d'y songer, le feu flamba[2]. Il s'irrita contre lui-même, pour son salut, et s'adressa de violentes invectives. Il déclara la guerre à son corps, et alla jusqu'à lui refuser le nécessaire. La légèreté fit place à la gravité, le bavardage au silence. Personne ne le vit plus jamais plaisanter ou rire. On ne l'entendit plus tenir de conversations oiseuses. Il prit en dédain, en horreur même, toute consolation humaine, tout ce qu'il craignait pouvoir être agréable à la chair ; au point qu'il refusait qu'on lui accordât quelque repos ou le moindre soulagement dans le boire ou le manger. Il était tellement inquiet et scrupuleux dans ses pensées, qu'en cela seulement il semble avoir été trop loin. Debout, assis, et dans toutes ses démarches, il avait le visage baissé et les yeux fixés à terre. On eût dit qu'il comparaissait, tremblant de crainte, au tribunal divin. Avec de telles armes, il remporta sur le tyran une victoire éclatante. Après avoir enduré une très grave maladie d'estomac, quand, après un long épuisement, arriva l'heure de son dernier sommeil, il dit simplement : « Laissez, voilà Jésus qui vient. »

23. Je ne te raconte pas cela pour déroger à la loi de discrétion, laquelle reste bien la mère de toutes les vertus[3] ; mais à l'égard de ce qui donne prise aux passions : gourmandise, sommeil, aises, familiarité et relations avec les femmes et les efféminés, bornons-nous au strict nécessaire ; trop souvent, nous masquons le jeu de la volupté en la faisant passer sous le faux nom de discrétion. La véritable discrétion[4], c'est de faire passer l'âme avant le corps, de

singulière ; pour l'interpréter, il faut tenir compte d'autres textes plus nuancés ; cf. notre article « L'équilibre humain de la vie cistercienne d'après le Bx. Aelred de Rievaulx », dans *Collectanea O. C. R.*, XVIII (1956), p. 188-189 et notes 33 à 35.

animam carni praeponere, et ubi periclitatur utraque, nec sine huius incommodo illius potest salus consistere, pro illius utilitate istam negligere.

Haec diximus, ut quanta tibi debeat in conservanda pudicitia esse sollicitudo adverteres. Quae cum omnium virtutum flos sit et ornamentum, sine humilitate tamen arescit atque marcescit.

24. Hoc est certum atque securum virtutum omnium fundamentum, extra quod quicquid aedificas ruinae patet. Initium omnis peccati superbia est quae angelum de caelo, hominem expulit de paradiso. Huius pessimae radicis cum multi sint rami, omnes tamen in duas species dividuntur, in carnalem scilicet et spiritualem. Carnalis superbia est de carnalibus, spiritualis de spiritualibus superbire.

Carnalis praeterea in duas subdividitur species, iactantiam scilicet et vanitatem. Vanitatis est si ancilla Christi intus in animo suo glorietur se nobilibus ortam natalibus, si se divitiis paupertatem praetulisse pro Christo delectetur, si se pauperibus et ignobilioribus praeferre conetur, si se contempsisse divitum nuptias quasi magnum aliquid admiretur. Est etiam quaedam species vanitatis in affectata aliqua pulchritudine etiam intra cellulam delectari, parietes variis picturis vel celaturis ornare, oratorium pannorum et imaginum varietate decorare. Haec omnia, quasi professioni tuae contraria cave.

Qua enim fronte de divitiis vel natalibus gloriaris quae

---

1. Cf. *Spec. car.*, III, 37 ; *P. L.*, 195, 615 C-D, et l'exemple d'Aelred lui-même, dans Walter Daniel, *Vita Ailredi*, 41 (Powicke, p. 50).

2. *Sag. Sir.*, 10, 15.

3. Pour la description de la jactance, omise ici, voir *Sermones inediti* (éd. Talbot), p. 69 : « Iactantia, quando bona, si fuerint, a nobis incaute produntur. »

4. Le souci d'intériorité qui se manifeste ici et au paragraphe suivant est caractéristique de la spiritualité d'Aelred, et en général

sorte que si tous deux venaient à être menacés, si le salut de l'âme ne pouvait être assuré sans dommage pour le corps, il faudrait laisser le corps pour sauver l'âme[1].

Si je t'ai dit tout cela, c'est pour que tu te rendes compte de la sollicitude que tu dois déployer pour conserver la chasteté. C'est la fleur et la parure de toutes les vertus ; sans l'humilité cependant, cette fleur se fane et se dessèche.

L'humilité   **24.** Le fondement sûr et solide de toutes les vertus, c'est l'humilité. Tout ce qui s'édifie en dehors d'elle est voué à la ruine. L'origine de tout péché, c'est l'orgueil[2], qui chassa l'ange du ciel et l'homme du paradis. Sur ce tronc funeste poussent de nombreuses branches. Elles se ramènent toutes cependant à deux principales : l'orgueil de la chair et l'orgueil de l'esprit. L'orgueil de la chair consiste à s'élever à l'occasion des choses charnelles, l'orgueil de l'esprit à l'occasion de celles de l'esprit.

L'orgueil charnel se subdivise en deux espèces : la jactance[3] et la vanité. La vanité, c'est qu'une servante du Christ tire gloire en son for intérieur de sa noble naissance, qu'elle se félicite d'avoir préféré pour le Christ la pauvreté aux richesses, ou qu'elle essaie d'éclipser celles qui sont plus pauvres ou moins nobles qu'elle, ou encore qu'elle se croie admirable d'avoir — la belle affaire ! — repoussé quelque brillant parti. Il y a même de la vanité à se piquer d'élégance jusque dans l'aménagement de sa cellule. On couvre les murs de peintures et d'ouvrages d'orfèvrerie. On décore son oratoire de tentures et d'images de toutes sortes. Évite tout cela comme allant à l'encontre de ta profession[4].

De quel front irais-tu te glorifier de tes richesses ou de ta

des premiers cisterciens. Cf. *Spec. car.*, II, 24 ; *P. L.*, 195, 572 C : « Ergo ad exteriorem pertinent curiositatem omnis superflua pulchritudo... »

illius vis sponsa videri, qui pauper factus cum esset dives,
pauperem matrem, pauperem familiam, domum etiam
pauperculam, et praesepii vilitatem elegit? Ita ne glorian-
dum tibi est quod Dei Filium hominum filiis praetulisti,
quod foeditatem carnis pro virginitatis decore sprevisti,
quod aeternas coeli divitias atque delicias materiis ster-
corum commutasti.

Si gloriaris, in Domino glorieris, serviens ei cum timore.
Sed illam te nolim quasi sub specie devotionis sequi gloriam
in picturis vel sculpturis, in pannis avium vel bestiarum,
aut diversorum florum imaginibus variatis. Sunt haec
illorum qui nihil intus in quo glorientur habentes, exterius
sibi comparant in quibus delectantur.

25. Omnis enim gloria filiae regis ab intus, in fimbriis
aureis circumamicta varietatibus. Si tu iam filia regis es,
utpote Filii Regis sponsa, Patrisque vocem audisti dicentis :
Audi, filia, et vide, et inclina aurem tuam. Sit tua omnis
gloria ab intus. Vide ut gloria tua sit testimonium conscientiae tuae. Ibi sit pulcherrima virtutum varietas, ibi
diversi colores sibi sic conveniant et sic iungantur, ut
alterius pulchritudinem alter augeat, et qui in sui natura
minus lucet, alterius collatione lucidior appareat. Iungatur
castitati humilitas, et nihil erit splendidius. Prudentiae

---

1. Cf. *II Cor.*, 8, 9.
2. Cf. *I Cor.*, 1, 31.
3. Cf. *Ps.* 2, 11.
4. *Ps.* 44, 14-15.
5. *Ibid.*, 11.
6. Cf. *I Cor.*, 1, 12. Ce texte, rapproché de *Ps.* 44, 14, est utilisé
pour illustrer la même doctrine par S. BERNARD, *Sermo XXV in
Cant.*, 7 ; *P. L.*, 183, 901 D-902 B : « Merito proinde omnis cura
sanctorum, spreto ornatu cultuque superfluo exterioris sui hominis,
qui certe corrumpitur, omni se diligentia praebet et occupat exco-
lendo ac decorando interiori illi, qui ad imaginem Dei est, et renovatur
de die in diem... Propterea omnis gloria eorum intus, non foris est...
Unde et dicunt : Gloria nostra haec est, testimonium conscientiae

naissance, toi qui veux être regardée comme l'épouse de
celui qui, se faisant pauvre de riche qu'il était[1], a choisi
une mère pauvre, une famille pauvre, une pauvre petite
maison et la misère d'une crèche ? Et quelle gloire peut-il
y avoir à préférer le Fils de Dieu aux fils des hommes, à
mépriser cette chair répugnante pour les splendeurs
virginales, à avoir échangé toutes ces misérables choses
destinées au fumier pour les richesses et les joies éternelles
du Ciel ?

Si tu as à te glorifier, glorifie-toi dans le Seigneur[2] et
sers-le dans la crainte[3]. Mais de grâce ne va pas, sous
couleur de dévotion, te mettre en quête de splendeur dans
toutes ces peintures et sculptures, dans ces tapisseries
ornées d'oiseaux, d'animaux et de fleurs multicolores.
Laisse cela à ceux qui, ne trouvant nulle splendeur en leur
intérieur, vont chercher au-dehors des objets qui les
charment.

25. « Tout intérieure est la gloire de la fille du roi ; des
franges d'or bordent sa robe diaprée[4]. » Toi aussi, tu es
fille de roi, en ta qualité d'épouse du Fils du Roi. Aussi
écoute la voix de ton Père quand il dit : « Écoute, ma fille,
et incline l'oreille[5]. » Que ta gloire soit tout intérieure,
fais-la résider dans le témoignage de ta conscience[6]. Là
doit briller toute la merveilleuse gamme des vertus. Le
jeu de leurs couleurs s'y harmonisera ; elles mettront
mutuellement leur beauté en valeur de telle sorte que celle
qui de sa nature aurait moins d'éclat prendra du brillant
par contraste. Quoi de plus magnifique que l'harmonie de
l'humilité et de la chasteté, de plus éclatant que l'accord
de la prudence et de la simplicité, de plus agréable que

nostrae... Non mediocris plane gloria illa quae intus est, in qua glo-
riari dignatur et Dominus gloriae, dicente David : Omnis gloria eius
filiae regis ab intus. »

societur simplicitas, et nihil erit lucidius. Copuletur misericordia iustitiae, et nihil erit suavius. Adde fortitudini
modestiam, et nihil erit utilius. In hac varietate tuae mentis
oculos occupa, hanc in anima tua omni studio forma, cui si
fimbrias aureas addas, vestem polymitam in qua te Sponsus
cum summa delectatione conspiciat texuisti. Fimbria
extrema pars, quasi finis est vestimenti. Finis autem prae-
cepti caritas est, de corde puro et conscientia bona et fide
non ficta.

26. In his glorieris, in his delecteris, intus non foris, in
veris virtutibus, non in picturis et imaginibus.

Panni linei candidi tuum illud ornent altare, qui castitatem suo candore commendent, et simplicitatem prae-
monstrent. Cogita quo labore, quibus tunsionibus terrenum
in quo crevit linum colorem exuerit, et ad talem candorem
pervenerit, ut ex eo ornetur altare, Christi corpus veletur.
Cum terreno colore omnes nascimur, quoniam in iniquita-
tibus conceptus sum, et in peccatis meis concepit me
mater mea.

Primum igitur linum aquis immergitur, nos in aquis
baptismatis Christo consepelimur. Ibi deletur iniquitas,
sed necdum sanatur infirmitas. Aliquid candoris recepimus
in peccatorum remissione, sed necdum plene terreno colore
exuimur pro naturali, quae restat, corruptione.

Post aquas linum siccatur, quia necesse est post aquas
baptismatis corpus per abstinentiam maceratum illicitis
humoribus vacuetur.

Deinde linum malleis tunditur, et caro nostra multis
tentationibus fatigatur.

---

1. Cf. *I Tim.*, 1, 5.
2. Aelred connaît bien le travail du lin ; c'était sans doute
l'une des industries de Rievaulx. Cf. un autre détail technique sur
ce métier dans *Sermo XXV, de B. V. M.; P. L.*, 195, 360 D.
3. *Ps.* 50, 7.
4. Cf. *Rom.*, 6, 3-4.

l'union de la justice et de la miséricorde, de plus précieux
que la modestie venant s'allier à la force ? Que la contemplation de cette harmonie occupe les yeux de ton esprit,
et applique-toi à la former dans ton âme. Quand tu l'auras
brodée de franges d'or, tu te seras tissé la robe chatoyante
dans laquelle l'Époux sera souverainement heureux de te
regarder. Car c'est la frange, la bordure, qui fait le fini
d'un vêtement. De même, c'est la charité qui donne à la
Loi son achèvement, « charité d'un cœur pur, d'une bonne
conscience et d'une foi sincère[1] ».

26. Voilà de quoi te glorifier. Trouve ton bonheur dans
ces réalités intérieures et non pas au-dehors ; dans de
vraies vertus et non pas dans des images ou des peintures.

Le travail du lin,   Que des nappes de lin recouvrent
image   ton autel ; par leur blancheur même,
de la vie chrétienne elles te parleront de chasteté et de
simplicité. Pense aux traitements énergiques que ce lin
a dû subir pour être débarrassé de la couleur de la terre
où il a poussé et arriver à cette pureté qui le rend digne
d'orner ton autel, de recouvrir le corps du Christ[2]. Or tous
nous sommes couleur de terre quand nous naissons, car
« dans le mal j'ai été conçu, pécheur ma mère m'a enfanté[3] ».

Le lin, en tout premier lieu, sera donc plongé dans l'eau ;
tout comme nous qui sommes ensevelis avec le Christ dans
les eaux du baptême[4]. La culpabilité est supprimée, mais
notre faiblesse n'en est pas guérie du même coup ; nous
acquérons bien quelque blancheur par la rémission des
péchés, mais nous ne sommes pas débarrassés de cette
couleur de terre, de cette corruption qui adhère à notre
nature.

Au sortir de l'eau, le lin est séché ; ainsi faut-il que notre
corps, après les eaux du baptême, soit macéré par l'abstinence pour le libérer des humeurs mauvaises.

Le lin est ensuite écrasé avec des maillets, et de même
notre chair est harcelée d'une foule de tentations.

Post haec linum ferreis aculeis discerpitur, ut deponat superflua, et nos disciplinae ungulis rasi, vix necessaria retinemus.

Adhibetur post haec lino suaviorum stimulorum levior purgatio, et nos victis cum magno labore pessimis passionibus a levioribus et quotidianis peccatis simplici confessione et satisfactione mundamur.

Iam tunc a nentibus linum in longum producitur, et nos in anteriora perseverantiae longanimitate extendimur.

Porro ut ei perfectior accedat pulchritudo, ignis adhibetur et aqua, et nobis transeundum est per ignem tribulationis et aquam compunctionis, ut perveniamus ad refrigerium castitatis.

Haec tibi oratorii tui ornamenta repraesentent, non oculos tuos ineptis varietatibus pascant.

Sufficiat tibi in altario tuo Salvatoris in cruce pendentis imago, quae passionem suam tibi repraesentet quam imiteris, expansis brachiis ad suos invitet amplexus, in quibus delecteris, nudatis uberibus lac tibi suavitatis infundat quo consoleris.

Et si hoc placet, ad commendandam tibi virginitatis excellentiam, Virgo Mater in sua et virgo discipulus in sua iuxta crucem cernantur imagine, ut cogites quam grata sit Christo utriusque sexus virginitas, quam in Matre et prae ceteris sibi dilecto discipulo consecravit. Unde eos pendens in cruce tanto foedere copulavit, ut illam discipulo

1. Cf. *Ps*. 65, 12.
2. Cf. Introduction, p. 14.
3. Cf. *Jn*, 19, 26-27.

Puis le lin est écorché au moyen de pointes de fer qui le dépouillent de toutes les matières superflues ; nous pareillement, nous sommes dépouillés par les ongles de la règle et c'est à peine si nous gardons le nécessaire.

Après quoi, on applique au lin un nettoyage plus léger au moyen de pointes plus douces ; il en est ainsi pour nous qui, libérés à grand peine des passions les plus mauvaises, nous purifions de nos fautes plus légères et quotidiennes par la simple confession et la satisfaction.

Le lin est enfin étiré en longs fils par les filateurs ; et nous également, une longue et inlassable persévérance nous entraîne toujours plus avant.

Mais pour donner au lin un éclat supérieur, on lui fait subir un traitement à la chaleur et à l'eau ; et nous de même, nous avons à passer par le feu de la tribulation et l'eau de la componction avant de parvenir à la fraîcheur de la chasteté[1].

Voilà ce que les ornements de ton oratoire doivent te représenter, au lieu de repaître ton regard de fantaisies ridicules.

Sur ton autel, il suffira que tu aies une image du Sauveur pendant à la croix[2]. Elle te rendra présente sa passion, cette passion qu'il te faut imiter. De ses bras grands ouverts, il t'invite à ces étreintes qui feront ton bonheur, et de sa poitrine découverte il te donnera le lait de sa douceur qui sera ta grande consolation.

Si tu veux, tu peux encadrer la croix des images de la Vierge Mère et du disciple vierge, qui te mettront sous les yeux l'éminente dignité de la virginité. Tu te rappelleras ainsi combien est chère au Christ la virginité de l'homme et de la femme, virginité qu'il a consacrée en sa mère et en ce disciple aimé plus que les autres. Lorsqu'il pendait à la croix, il voulut à ce point les unir qu'il donna l'une pour mère à son disciple, et l'autre comme fils à sa Mère[3].

Matrem, illum Matri filium delegaret. O beatissimum hoc
testamento Iohannem, cui totius humani generis decus,
spes mundi, gloria coeli, miserorum refugium, afflictorum
solatium, pauperum consolatio, desperatorum erectio,
peccatorum reconciliatio, postremo orbis domina, coeli
Regina, testamenti auctoritate committitur.

Haec tibi incentivum praebeant caritatis, non spectaculum vanitatis. Hinc enim omnibus ad unum necesse est
ut conscendas, quoniam unum est necessarium. Illud est
unum quod non invenitur nisi in uno, apud unum, cum
uno, apud quem non est transmutatio, nec vicissitudinis
obumbratio. Qui adhaeret ei unus cum eo spiritus efficitur,
transiens in illud unum quod semper idem est, et cuius
anni non deficiunt. Adhaesio ista caritas, quasi spiritalis
ornatus finis et fimbria.

27. Vestis quippe nuptialis ex virtutum varietate
contexta, oportet ut fimbriis aureis, id est caritatis splen-
doribus ambiatur, quae omnes virtutes contineat, et
constringat in unum, et suam singulis claritatem impertiens,
de multis unum faciat, et cum multis uni adhaereat, ut
iam omnia non sint multa, sed unum.

Caritas autem in duo dividitur, in Dei videlicet dilectionem et proximi. Porro, dilectio proximi in duo subdividitur, innocentiam et beneficentiam videlicet, ut nulli
noceas, benefacias autem quibus potueris. Scriptum quippe
est : Quod tibi non vis fieri, alii ne feceris. Et haec innocentia. Et Dominus in Evangelio : Omnia, inquit, quaecumque

1. Un texte de structure litanique analogue se retrouve dans
Sermo VIII, in Annunt. B. V. M.; P. L , 195, 255 D.

2. *Lc*, 10, 42. Sur cette nostalgie de l'unité, cf. Introduction, p. 15.

3. *Jac.*, 1, 17.

4. Cf. *I Cor.*, 6, 17.

5. Cf. *Ps.* 101, 28.

6. *Innocentia:* cf. *Spec. car.*, III, 5 ; *P. L.*, 195, 581 C-D.

Oh ! que te voilà bienheureux, Jean, grâce à ce testament :
ainsi t'est confiée, par document authentique, la perle
du genre humain, l'espoir du monde, la gloire du ciel, le
refuge de ceux qui sont dans la misère, le soulagement de
ceux qui souffrent, la consolation des pauvres, le recours
des désespérés, la réconciliation des pécheurs, la suzeraine
enfin de cette terre et la reine des cieux[1].

Les images doivent donc donner occasion à des élans
d'amour et non pas devenir un étalage de vanités. Elles
doivent toutes te ramener à l'unité, parce qu'une seule
chose est nécessaire[2]. Cette unité ne se trouve qu'en
l'Unique, auprès de l'Unique, avec l'Unique, auprès duquel
il n'y a plus ni changement ni ombre de vicissitude[3]. Celui
qui adhère à lui ne fait plus avec lui qu'un seul esprit[4].
Il est transporté en cet Unique toujours identique à lui-
même, dont les années ne passent pas[5]. Cette adhésion,
c'est la charité, c'est la frange et le fini de la parure de l'âme.

La charité   **27.** Car cette robe nuptiale, tissée
de toutes sortes de vertus, doit encore
être brodée tout autour avec les franges d'or de la scin-
tillante charité. La charité en effet réunit toutes les vertus
et les ramène à l'unité. Elle leur communique son propre
éclat et les ayant ainsi unifiées, elle adhère avec elles à
l'Unique, de sorte que toutes ensembles elles ne font plus
qu'une vertu.

Mais la charité se divise en amour de Dieu et en amour
du prochain. Et l'amour du prochain se subdivise en innocence[6] : ne faire de tort à personne, et en bienfaisance :
faire du bien à tous ceux que l'on peut. Il est écrit en effet :
« Ce que tu ne veux pas qu'on te fasse, ne le fais pas à
autrui[7]. » C'est l'innocence. Mais le Seigneur dit aussi dans
l'Évangile : « Tout ce que vous désirez que les hommes

---

7. *Regula S. Benedicti*, IV, LXI, LXX ; cf. *Tob.*, 4, 6 ; *Matth.*, 7,
12 ; *Lc*, 6, 31.

vultis ut faciant vobis homines, et vos facite illis. Et haec beneficentia.

Quantum ad te duo ista pertineant, diligenter adverte.

Primum ut nulli noceas, deinde ut nulli velis nocere. Primum illud facile tibi, cum nec id possis, nisi forte lingua percusseris. Secundum illud, non erit difficile, si propositum attendas tuum, si professam dilexeris nuditatem. Non enim ibi esse poterit erga aliquem malae voluntatis materia, ubi cupiditas nulla, ubi nihil diligitur quod possit auferri, nihil tollitur quod debeat amari.

Deinde bene velis omnibus, prosis quibus possis.

In quo, inquis, cum mihi non liceat vel modicum quod egentibus tribuam possidere?

28. Agnosce conditionem tuam, carrissima. Duae erant sorores, Martha et Maria. Laborabat illa, vacabat ista. Illa erogabat, ista petebat. Illa praestabat obsequium, ista nutriebat affectum. Denique non ambulans vel discurrens huc vel illuc, non de suscipiendis hospitibus sollicita, non cura rei familiaris distenta, non pauperum clamoribus intenta, sedebat ad pedes Iesu, et audiebat verbum illius.

Haec pars tua, carissima, quae saeculo mortua atque sepulta, surda debes esse ad omnia quae saeculi sunt audiendum, et ad loquendum muta, nec debes distendi sed extendi, impleri non exhauriri. Exequatur partem suam Martha, quae licet non negetur bona, Mariae tamen melior praedicatur. Numquid invidit Marthae Maria? Illa potius

---

1. *Matth.*, 7, 12.
2. Cf. *Spec. car.*, I, 31 ; *P. L.*, 195, 534 D-535 A.
3. Cf. *Lc*, 10, 38-42.
4. S. Augustin, *Sermo* CIV ; *P. L.*, 38, 616 (= *Brev. cist.*, In Assumpt. B. V. M., ad Vigilias, lect. in III Nocturno).

fassent pour vous, vous de même faites-le pour eux[1]. »
C'est la bienfaisance.

Vois maintenant comment tu pourras pratiquer la charité
sous ces deux formes.

En premier lieu, tu ne dois ni faire de mal, ni même en
vouloir, à personne. Pour le premier point, cela te sera
facile : tu es dans l'impossibilité matérielle de nuire à qui
que ce soit, sinon peut-être par quelques coups de langue.
Quant au second point, tu n'auras pas de difficulté là non
plus, si tu restes fidèle à ta résolution, si tu aimes le dénuement dont tu as fait profession : car pourquoi voudrait-on
du mal à quelqu'un, si on ne convoite plus rien, si on
n'est attaché à aucune de ces choses qu'on pourrait nous
ravir[2], si rien ne peut nous être enlevé qui nous tienne à
cœur ?

En second lieu, tu dois vouloir du bien à tout le monde,
et en faire à qui tu le peux.

— Faire le bien ! me dis-tu ; mais avec quoi ? Il ne m'est
pas permis d'avoir la moindre chose que je puisse donner
à ceux qui sont dans le besoin.

28. Prends donc conscience, très chère, de ta condition.
Il y avait deux sœurs, Marthe et Marie[3]. L'une travaillait,
l'autre vaquait ; l'une donnait[4], l'autre demandait ; l'une
se multipliait en attentions ; l'autre ne nourrissait que des
affections ; celle-ci enfin ne s'agitait pas, ne courait pas
de tous côtés, ne s'affairait pas pour recevoir les hôtes,
n'était pas tiraillée par les soins du ménage, ne s'occupait
pas des requêtes des pauvres ; mais elle était assise aux
pieds de Jésus et l'écoutait parler.

Voilà ta part, très chère. Morte au monde et ensevelie,
tu dois être sourde et muette pour les choses du monde.
Tu n'as pas à te répandre, mais à t'approfondir ; tu n'as
pas à t'épuiser, mais à être comblée. Que Marthe garde sa
part : on ne lui refuse pas qu'elle soit bonne, mais on dit
que celle de Marie est meilleure. Marie envie-t-elle Marthe ?

isti. Ita etiam qui optime videntur vivere in saeculo, tuam vitam aemulentur, non illorum tu.

Ad ipsos spectat eleemosynarum largitio, quorum est terrena possessio, vel quibus credita est rerum ecclesiasticarum dispensatio. Quae enim sacrosanctis ecclesiis a fidelibus collata sunt, episcopi, sacerdotes et clerici dispensanda suscipiunt, non recondenda, nec possidenda, sed eroganda. Quicquid habent pauperum est, viduarum et orphanorum, et eorum qui altario deserviunt, ut de altario vivant. Sed et ea quae in usus servorum Christi monasteriis conferuntur, a certis personis dispensari oportet, ut quod necessitatibus superest fratrum, non includatur marsupiis, sed hospitibus, peregrinis atque pauperibus erogetur. Et hoc illorum interest, quibus pars est Marthae commissa, non qui salutari otio vacant cum Maria. Itaque claustralibus nulla debet esse pro pauperibus sollicitudo, nulla pro hospitibus suscipiendis distentio, quippe quibus nulla debet esse de crastino cura, nulla cibi potusve providentia. Nutriantur potius in croceis, spiritualibus pascantur deliciis. Hi autem qui contemptibiles sunt constituti ad iudicandum, amplexentur stercora. Ipsi quippe sunt boves, quorum piger stercoribus lapidatur. Sunt enim quidam qui circa spiritalia desides et pigri instar populi peccatoris, super manna coeleste nauseant, videntesque alios circa temporalia occupatos, invident, detrahunt, murmurant, et pro stercoribus quibus ipsi foedantur, zeli et amaritudinum stimulis feriuntur. De

1. Les *claustrales* sont les simples moines, distingués des *oboedientiales* (moines chargés d'une obédience dans le monastère) et des *praelati* (supérieurs). Cf. *Sermo XV, in die SS. Petri et Pauli ; P. L.*, 195, 295 B-D : « Alium locum habent monachi claustrales, alium oboedientiales, alium praelati... Locus claustralium regularis est observantia... Locus oboedientialium est caritas, misericordia, cura hospitum et pauperum, et caetera huiusmodi... Locus praelatorum est iudicium et disciplina. »

2. Cf. *Matth.*, 6, 34.

C'est bien plutôt l'inverse. De même, ce sont les gens du monde, même ceux qui semblent les plus favorisés, qui ont à envier ta vie, et non toi la leur.

Distribuer des aumônes, c'est l'affaire de ceux qui possèdent les biens de ce monde, ou de ceux qui sont chargés de la dispensation des biens d'église. C'est aux évêques, aux prêtres et aux clercs de disposer de ce que les fidèles donnent aux saintes églises. Et ils n'ont pas à se l'approprier ni à thésauriser, mais uniquement à distribuer ce qu'ils reçoivent. Tout ce qu'ils ont appartient aux pauvres, aux veuves, aux orphelins et à ceux qui desservent l'autel et doivent vivre de l'autel. Pour ce qui est des dons faits aux monastères pour l'usage des serviteurs du Christ, la dispensation doit en être confiée à quelques-uns, de telle sorte que ce qui excède les besoins des frères soit distribué aux hôtes, aux pèlerins ou aux pauvres, au lieu de rester enfermé dans les coffres. Cela, c'est l'affaire de ceux qui ont reçu la part de Marthe, non de ceux qui vaquent avec Marie à une très salutaire désoccupation. Aussi les « cloîtriers[1] » n'ont-ils pas à se tracasser au sujet des pauvres, ni à s'affairer pour les hôtes, eux qui ne doivent même pas avoir souci du lendemain[2], ni prévoir ce qu'ils auront à manger ou à boire. Qu'ils se nourrissent plutôt de fleurs de safran[3], qu'ils se rassasient de douceurs spirituelles, et que ceux qui sont constitués juges des choses méprisables aillent se vautrer sur le fumier. Ce sont les bœufs dont la bouse sera jetée sur le paresseux[4]. Car il y a des paresseux et des nonchalants ès choses spirituelles, chez qui la manne du ciel ne provoque que nausée, à l'instar du peuple pécheur[5]. Quand ils voient les autres occupés du temporel, ils sont remplis d'envie, ils critiquent, ils murmurent, ils éprouvent les aiguillons de la jalousie

---

3. Cf. *Lam.*, 4, 5.
4. Cf. *Sag. Sir.*, 22, 2.
5. Cf. *Nombr.*, 21, 5.

quibus si forte aliquam temporalium dispensationem
fuerint adepti, convenienter dici potest : qui nutriti erant
in croceis, amplexati sunt stercora.

Cum igitur nec illis qui in coenobiis sunt, quibus cum
Martha non parva communio est, circa plurima occupari
conceditur, quanto minus tibi, quae totam te saeculo
exuisti, cui non solum non possidere, sed nec videre, nec
audire licet quae saeculi sunt? Cum enim nihil tibi quisquam det ad erogandum, unde habebis quod eroges? Si ex
tuo aliquid habes labore, da, non tua, sed alterius manu.
Si aliunde tibi provenit victus, unde tibi aliena distribuere,
cum nihil supra necessarium tibi liceat usurpare?

Quid igitur beneficii impendes proximo? Nihil ditius
bona voluntate, ait quidam sanctus. Hanc praebe. Quid
utilius oratione? Hanc largire. Quid humanius pietate?
Hanc impende. Itaque totum mundum uno dilectionis sinu
complectere, ibi simul omnes qui boni sunt considera et
congratulare, ibi malos intuere et luge. Ibi afflictos conspice
et oppressos, et compatere. Ibi occurrant animo miseria
pauperum, orphanorum gemitus, viduarum desolatio,
tristium maestitudo, necessitates peregrinantium, vota
virginum, pericula navigantium, tentationes monachorum,
praelatorum sollicitudo, labores militantium. Omnibus
pectus tuae dilectionis aperias, his tuas impende lacrymas,
pro his tuas preces effundas.

Haec eleemosyna Deo gratior, Christo acceptior, tuae
professioni aptior, his quibus impenditur fructuosior. Huius

---

1. Cf. *Lam.*, 4, 5.
2. S. Grégoire le Grand, *Homil. V in Evang.*, 3; *P. L.*, 76, 1094 B :
« Nihil quippe offertur Deo ditius voluntate bona. »

à la vue du fumier qui les souille. Ce serait bien le cas de dire, si quelque charge temporelle venait à leur être confiée : « Ceux qui se nourrissaient de fleurs de safran sont allés se vautrer sur le fumier[1]. »

On ne permet donc pas à ceux qui vivent dans les monastères d'avoir de nombreuses occupations, et leur vie pourtant tient beaucoup de la condition de Marthe. Combien moins alors te seront-elles permises à toi qui as complètement quitté le monde, qui non seulement ne peux rien en posséder, mais qui ne dois même plus rien en voir, ni en entendre parler. Puisque personne ne te fournit de quoi distribuer, d'où irais-tu donner quelque chose ? Si tu retires quelques ressources de ton travail, donne, mais par l'entremise de quelqu'un. Puisque ta nourriture te vient du dehors et que tu n'as droit qu'au strict nécessaire, que pourrais-tu bien donner ?

Comment faire du bien au prochain dans ces conditions ? « Rien de plus riche, a dit un saint, qu'une bonne volonté[2]. » Voilà ce qu'il te faut donner. Quoi de plus utile que la prière ? Donne-la aussi. Quoi de plus humain que la pitié ? Répands-la sans compter. Rassemble ainsi le monde entier au creux de ton amour et là, tout ensemble, contemple les bons et les méchants, réjouis-toi sur les uns et pleure sur les autres. Là, fixe ton regard sur ceux qui souffrent, sur ceux qui sont opprimés, et souffre avec eux ; que s'y donnent rendez-vous la misère des pauvres, les sanglots des orphelins, la désolation des veuves, le chagrin des abattus, les besoins de ceux qui vont par les chemins, les soupirs des vierges, les périls de ceux qui sont en mer, les tentations des moines, les soucis des prélats, les souffrances de ceux qui sont au combat. A tous ouvre un cœur plein d'amour, verse pour eux tes larmes et répands tes prières.

Cette aumône-là sera plus agréable à Dieu, plaira davantage au Christ, sera plus conforme à ton état et plus fructueuse pour ceux à qui tu en feras largesse. Les obli-

munus beneficii tuum propositum adiuvat, non perturbat ;
dilectionem proximi auget, non minuit ; mentis quietem
servat, non impedit.

Quid his plura dicam, cum sancti ut perfecte possent
proximos diligere studuerint in hoc mundo nihil habere,
nihil appetere, nihil vel sine appetitu possidere ? Agnoscis
verba, beati Gregorii sunt. Vide quam contra multi sapiunt.
Ut enim caritatis impleant legem, quaerunt ut habeant
quod erogent, cum eius perfectionem ipsis adscribat, qui
nihil habendum, nihil appetendum, nihil vel sine appetitu
possidendum arbitrabantur.

1. Id., *ibid.*, 4 ; 1094 C (S. Grégoire écrit « nihil amare » au lieu de
«nihil habere »).

gations qu'entraîne cette façon de faire le bien ne trouble-
ront pas ta vocation, mais au contraire l'aideront ; l'amour
du prochain, au lieu de s'affaiblir, ira toujours croissant ;
la paix du cœur, au lieu d'être troublée, n'en sera que mieux
gardée.

Et que pourrais-je dire de plus, quand « les saints, pour
être à même d'aimer les autres plus parfaitement, s'appli-
quaient à ne rien avoir en ce monde, à n'y rien désirer,
à n'y rien posséder, même sans s'y attacher[1] ». Tu
reconnais ce passage : il est du bienheureux Grégoire.
Mais vois combien nombreux sont ceux qui en jugent tout
autrement. Pour remplir la loi de la charité, ils cherchent
à avoir de quoi donner, tandis que le bienheureux Grégoire,
lui, attribue la perfection de la charité à ceux qui sont
décidés à ne rien avoir, à ne rien désirer et à ne rien posséder,
même sans s'y attacher.

29. His de proximi dilectione praemissis, de dilectione Dei pauca subiungam.

Nam licet utraque soror Deum proximumque dilexerit, specialiter tamen circa obsequium proximorum occupabatur Martha, ex divinae vero dilectionis fonte hauriebat Maria.

Ad Dei vero dilectionem duo pertinent, affectus mentis, et effectus operis. Et opus hoc in virtutum exercitatione, affectus in spiritualis gustus dulcedine. Exercitatio virtutum in certo vivendi modo, in ieiuniis, in vigiliis, in opere, in lectione, in oratione, in paupertate, et ceteris huiusmodi commendatur, affectus salutari meditatione nutritur. Itaque ut ille dulcis amor Iesu in tuo crescat affectu, triplici meditatione opus habes, de praeteritis scilicet, praesentibus et futuris, id est de praeteritorum recordatione, de experientia praesentium, de consideratione futurorum.

Cum igitur mens tua ab omni fuerit cogitationum sorde virtutum exercitatione purgata, iam oculos defaecatos ad posteriora retorque, ac primum cum beata Maria, ingressa cubiculum, libros quibus Virginis partus et Christi pro-

---

1. Sur le couple *affectus/effectus*, cf. Introduction, p. 16.
2. Cf. Introduction, p. 22.

TROISIÈME PARTIE

LA TRIPLE MÉDITATION

29. A ces considérations sur l'amour du prochain, j'ajoute quelques mots sur l'amour de Dieu.

Les deux sœurs aimaient Dieu l'une et l'autre, bien sûr, mais tandis que Marthe était plus particulièrement soucieuse du service du prochain, Marie, elle, puisait à la fontaine de l'amour divin.

L'amour de Dieu comprend deux choses : le sentiment intérieur et l'accomplissement des œuvres[1]. Celles-ci consistent dans la pratique des vertus, tandis que le sentiment intérieur réside dans la douceur du goût spirituel. La vie vertueuse implique une vie réglée, les jeûnes, le travail, la lecture, l'oraison, la pauvreté, etc. Le cœur, lui, se nourrit de la pensée de l'œuvre du salut. Aussi, pour que ce très doux amour de Jésus grandisse en ton cœur, as-tu besoin de cette triple méditation : le passé, le présent, le futur. Évocation des bienfaits passés, expérience des bienfaits présents, et considération des bienfaits à venir[2].

1. Les bienfaits du passé

Quand la pratique des vertus aura purifié ton esprit des pensées qui le souillaient, jette un regard en arrière, les yeux dessillés, vers le passé.

L'Annonciation Entre d'abord dans la chambre de la bienheureuse Marie, et, avec elle, relis les livres prophétiques qui parlent de la naissance

phetatur adventus evolve. Ibi adventum angeli praestolare
ut videas intrantem, audias salutantem, et sic repleta
stupore et extasi dulcissimam dominam tuam cum angelo
salutante salutes, clamans et dicens : Ave, gratia plena,
Dominus tecum, benedicta tu in mulieribus. Haec crebrius
repetens, quae sit haec gratiae plenitudo, de qua totus
mundus gratiam mutuavit quando Verbum caro factum
est et habitavit in nobis, plenum gratiae et caritatis,
contemplare, et admirare Dominum qui terram implet et
coelum, intra unius puellae viscera claudi, quam Pater
sanctificavit et Filius fecundavit, obumbravit Spiritus
sanctus.

O dulcis domina, quanta inebriaris dulcedine, quo amoris
igne succendebaris, cum sentires in mente et ventre maiestatis praesentiam, cum de tua carne sibi carnem assumeret,
et membra in quibus corporaliter omnis plenitudo divinitatis habitaret, de tuis sibi membris aptaret.

Haec omnia propter te, o virgo, ut Virginem quam
imitari proposuisti diligenter attendas, et Virginis Filium
cui nupsisti.

Iam nunc cum dulcissima domina tua in montana cons-
cende, et sterilis et virginis suavem intuere complexum,
et salutationis officium, in quo servulus dominum, praeco
iudicem, vox verbum, inter anilia viscera conclusus, in
Virginis utero clausum agnovit, et indicibili gaudio salu-
tavit. Beati ventres in quibus totius mundi salus exoritur,
pulsisque tristitiae tenebris, sempiterna laetitia prophe-
tatur.

Quid agis, o virgo? Accurre, quaeso, accurre, et tantis
gaudiis admiscere, prosternare ad pedes utriusque, et in
unius ventre tuum Sponsum amplectere, amicum vero eius
in alterius utero venerare.

1. Cf. *Jn*, 1, 14.
2. Cf. *Jér.*, 23, 24.
3. Cf. *Lc*, 1, 35.
4. Cf. *Col.*, 2, 9.
5. Cf. Introduction, p. 25.
6. Cf. *Lc*, 1, 39 sq.

virginale et de la venue du Christ. Là, attends l'arrivée de
l'ange pour le voir entrer, pour l'entendre faire sa salutation.
Alors, toi aussi, remplie de stupeur et comme hors de toi,
salue avec lui ta très douce Dame en t'écriant : « Je vous
salue, pleine de grâce, le Seigneur est avec vous, vous êtes
bénie entre toutes les femmes. » En répétant souvent cette
formule, contemple cette plénitude de grâce, à laquelle
le monde entier a participé lorsque le Verbe s'est fait chair
et a habité parmi nous, plein de grâce et de charité[1]. Vois
avec étonnement le Seigneur qui emplit le ciel et la terre[2]
enfermé dans le sein d'une jeune fille que le Père a sancti-
fiée, que le Fils a rendue féconde, et que l'Esprit-Saint a
recouverte de son ombre[3].

O douce Dame, quelle ivresse de bonheur, quel feu
d'amour a dû vous embraser, lorsque vous avez senti dans
votre âme et dans votre sein la présence d'une telle majesté,
lorsque de votre chair Dieu a pris chair, et de vos membres
il a pris ces membres dans lesquels allait habiter corporellement la plénitude de la divinité[4].

Tout cela pour toi, vierge : aussi fixe un regard attentif
sur la Vierge que tu veux imiter[5] et sur le Fils de la Vierge,
dont tu es l'épouse.

La Visitation Suis maintenant ta très douce Dame
et gravis avec elle la montagne[6]. Vois
comme s'embrassent tendrement la stérile et la vierge,
comment elles échangent leurs salutations ! Alors, enfermé
dans le sein de sa mère déjà vieille, le serviteur reconnaît
son Seigneur enclos dans le sein de la Vierge ; le héraut
reconnaît le Juge, la voix le Verbe, et le salue avec une
joie indicible. Bienheureux seins, dans lesquels point l'aurore du salut du monde ; toute ombre de tristesse est dissipée,
une joie éternelle est prophétiquement annoncée !

Mais que restes-tu là ainsi, vierge ? Cours, cours donc,
et unis-toi à tant de bonheur ! Prosterne-toi aux pieds de
ces deux femmes, embrasse en l'une ton époux, et vénère
en l'autre l'ami de l'époux.

Hinc matrem euntem in Bethleem cum omni devotione
prosequere, et in hospitium divertens cum illa, assiste et
obsequere parienti, locatoque in praesepi parvulo, erumpe
in vocem exultationis, clamans cum Isaia : Parvulus natus
est nobis, filius datus est nobis. Amplectere dulce illud
praesepium, vincat verecundiam amor, timorem depellat
affectus, ut sacratissimis pedibus figas labia, et oscula
gemines. Exinde pastorum excubias mente pertracta,
angelorum exercitum admirare, coelesti melodiae tuas
interpone partes, corde simul et ore decantans : Gloria in
excelsis Deo, et in terra pax hominibus bonae voluntatis.

30. Noli in tua meditatione magorum munera praeterire,
nec fugientem in Aegyptum incomitatum relinquere.

Opinare verum esse quod dicitur, eum a latronibus
deprehensum in via, et ab adolescentuli cuiusdam beneficio
ereptum. Erat is, ut dicunt, principis latronum filius, qui
praeda potitus, cum puerulum in matris gremio cons-
pexisset, tanta ei in eius speciosissimo vultu splendoris
maiestas apparuit, ut eum supra hominem esse non ambi-
gens, incalescens amore amplexatus est eum, et : O, inquit,
beatissime parvulorum, si aliquando se tempus obtulerit
mihi miserendi, tunc memento mei, et huius temporis noli
oblivisci. Ferunt hunc fuisse latronem qui ad Christi
dexteram crucifixus, cum alterum blasphemantem corri-
puisset, dicens : Neque tu times Deum quod in eadem

---

1. Cf. *Lc*, 2, 7.

2. *Is.*, 9, 6.

3. L'idée se retrouve plus loin, cf. **31**, p. 131.

4. *Lc*, 2, 14. Ce passage (« Hinc matrem... bonae voluntatis. ») est
cité par Ludolphe le Charteux, *Vita Christi*, I, 9.

5. Ludolphe le Chartreux, *ibid.*, 11, intercale un long
passage sur la contemplation de Jésus dans les bras de Marie (« Verum
dum hunc parvulum... »), passage qui ne se trouve dans aucun des
manuscrits collationnés et a sans doute été ajouté dans un manuscrit
où le texte d'Aelred se trouvait parmi les méditations de S. Anselme.

6. Cette légende dérive sans doute de *L'Évangile de l'enfance*,

La Nativité   De là, avec un saint empressement, accompagne la mère à Bethléem, retire-toi avec elle dans l'asile qui la reçoit, aide-la, assiste-la quand elle enfantera ; et quand le nouveau-né aura été déposé dans la crèche[1], en un grand cri de joie proclame avec Isaïe : « Un enfant nous est né, un Fils nous a été donné[2] ! » Va entourer de tes bras ce berceau ; que l'amour vainque la timidité, que l'affection chasse la crainte[3], presse longuement tes lèvres sur ces pieds très saints, couvre-les de baisers. Revois en esprit la veillée des bergers, regarde, émerveillée, les armées des anges, prends part au concert céleste, chante de cœur et de bouche : « Gloire à Dieu dans les cieux et paix sur la terre aux hommes de bonne volonté[4] ! »

La Fuite en Egypte   **30.** Ne vas pas maintenant oublier dans ta méditation les cadeaux des mages, ni fausser compagnie à celui qui doit fuir en Égypte[5].

On raconte[6] — dis-toi que c'est une histoire vraie — que l'enfant aurait été pris par des voleurs sur la route et qu'il aurait été sauvé grâce à la générosité d'un jeune homme ; c'était, dit-on, le fils du chef de la bande. Au moment d'emmener sa capture, il regarda l'enfant blotti sur le sein de sa mère ; sur son très beau visage, il vit rayonner l'éclat d'une telle majesté, qu'il n'eut plus de doute que ce fût là plus qu'un homme et l'embrassa tout brûlant d'affection en disant : « O le plus heureux des enfants, si un jour l'occasion se présente de m'épargner à mon tour, souviens-toi de moi et n'oublie pas ce jour-ci. » On dit que c'était le larron qui fut crucifié à la droite du Christ et qui disait quand l'autre blasphémait : « Ne crains-tu donc pas Dieu, toi qui subis la même peine ? Pour nous,

XXIII (dans *Évangiles apocryphes*, trad. P. Peeters [coll. Hemmer et Lejay], II, p. 26-27).

damnatione es, et nos quidem iuste, nam digna factis
recipimus. Hic autem quid? Nihil male fecit. Conversus
ad Dominum, eum in illa quae in puerulo apparuerat
intuens maiestate, pacti sui non immemor : Memento,
inquit, mei, cum veneris in regnum tuum. Itaque ad
incentivum amoris haud inutile arbitror hac uti opinione,
remota omni affirmandi temeritate.

Praeterea nihilne tibi suavitatis aestimas accessurum,
si eum apud Nazareth puerum inter pueros contempleris,
si obsequentem matri, si operanti nutricio assistentem
intuearis?

31. Quid si duodennem cum parentibus Ierosolymam
ascendentem, et, illis redeuntibus et nescientibus in urbe
remanentem, per triduum cum matre quaesieris? O quanta
copia fluent lacrymae, cum audieris matrem dulci quadam
increpatione filium verberantem : Fili, quid fecisti nobis
sic? Ecce pater tuus et ego dolentes quaerebamus te?

Si autem Virginem sequi quocumque ierit delectet,
altiora eius et secretiora scrutare, ut in Iordane flumine
audias in voce Patrem, in carne Filium, in columba videas
Spiritum sanctum. Ibi tu ad spirituales initiata nuptias,
sponsum suspicis datum a Patre, purgationem a Filio,
pignus amoris a Spiritu sancto.

Exinde solitudinis tibi secreta dicavit, sanctificavit
ieiunium, ibi subeundum docens cum callido hoste conflic-

---

1. *Lc*, 23, 40-41.
2. *Lc*, 23, 42.
3. Aelred distingue toujours prudemment ce qui est simple opinion de ce qui est affirmation certaine. Cf. p. ex. *Sermo XVII de
Oner.; P. L.*, 195, 431 B ; *De Iesu puero*, I, 6 ; *S. C.*, 60, p. 61 (Hoste-
Dubois) ; à propos de l'Assomption, *Sermo XVIII, in Assumpt.
B. V. M.; P. L.*, 195, 315 B, et notre article « St Aelred and the
Assumption », dans *Life of the spirit*, VIII (1953), p. 207.
4. Cf. *Lc*, 2, 42 sq.

c'est justice, nous recevons ce que nous méritons. Mais
lui? Il n'a rien fait de mal[1]. » Puis, tourné vers le Seigneur,
en qui il revoyait cette majesté qui lui était apparue dans
le petit enfant, et se souvenant de la convention, il ajouta :
« Souviens-toi de moi quand tu arriveras dans ton
royaume[2]. » Ainsi donc, je ne crois pas inutile de prendre
cette histoire comme stimulant de ta dévotion, en se
gardant cependant de toute affirmation téméraire[3].

Et crois-tu que ce n'est pas sans une grande douceur
que tu iras contempler Jésus à Nazareth, enfant parmi
les enfants, que tu le regarderas obéir à sa mère et aider
son père nourricier dans son travail?

La Montée   **31.** A douze ans, il monte à
au Temple   Jérusalem avec ses parents[4], puis
ceux-ci s'en retournent, ne sachant pas qu'il reste dans
la ville. Oh ! si tu allais, avec sa mère, le chercher pendant
trois jours ! Quel flot de larmes quand tu entendras la
maman grondant son enfant d'une remontrance si douce :
« Fils pourquoi nous as-tu fait cela? Voici que ton père et
moi, angoissés, nous te cherchions[5]. »

Le Baptême   Mais si tu te plais à suivre (l'Époux)
au Jourdain   vierge dans toutes ses démarches[6],
scrute en lui des profondeurs plus secrètes. Alors tu entendras aussi la voix du Père aux eaux du Jourdain ; tu recon-
naîtras dans la chair le Fils, et dans la colombe tu sauras
voir l'Esprit-Saint[7]. Là, introduite à des noces spirituelles,
le Père te donne un époux, le Fils te purifie et l'Esprit-
Saint te gratifie d'un gage d'amour.

Et l'Époux s'en est allé consacrer pour toi les solitudes
du désert, sanctifier le jeûne et te montrer comment il
faut lutter contre l'ennemi rusé[8]. Considère que tout cela

5. *Lc*, 2, 48.
6. Cf. *Apoc.*, 14, 4.
7. Cf. *Lc*, 3, 21-22.
8. Cf. *Lc*, 4, 1 sq.

tum. Haec tibi facta, et pro te facta, et quomodo facta
sunt meditare, et imitare quae facta sunt.

Occurrat iam nunc memoriae mulier illa deprehensa
in adulterio, et Iesus rogatus sententiam quid egerit,
quidve dixerit recordare. Cum enim scribens in terra,
terrenos eos non coelestes prodidisset : Qui sine peccato
est, inquit, vestrum, primum in illam lapidem mittat.
Cum vero omnes sententia terruisset, et expulisset e
templo, imaginare quam pios oculos in illam levaverit,
quam dulci ac suavi voce sententiam absolutionis eius
protulerit. Puta quod suspiraverit, quod lacrymatus sit
cum diceretur : Nemo te condemnavit, mulier? Nec ego
te condemnabo.

Felix, ut ita dicam, hoc adulterio mulier, quae de praeteritis absolvitur, secura efficitur de futuris. Iesu bone, te
dicente : Non condemnabo, quis condemnabit? Deus qui
iustificat, quis est qui condemnet? Audiatur tamen de
caetero vox tua : Vade, et iam amplius noli peccare.

Iam nunc domum ingredere Pharisaei, et recumbentem
ibi Dominum tuum attende, accede cum illa beatissima
peccatrice ad pedes eius, lava lacrymis, terge capillis,
demulce osculis, et fove unguentis. Nonne iam sacri illius
liquoris odore perfunderis?

Si tibi adhuc suos negat pedes, insta, ora, et gravidos
lacrymis oculos attolle, imisque suspiriis inenarrabili-
busque gemitibus extorque quod petis. Luctare cum Deo
sicut Iacob, ut ipse se gaudeat superari. Videbitur tibi

1. Cf. Introduction, p. 25.
2. Cf. *Jn*, 8, 3 sq.
3. *Jn*, 8, 7.
4. *Jn*, 8, 10-11.
5. Cf. *Rom.*, 8, 33-34.
6. *Jn*, 8, 11.
7. Cf. *Lc*, 7, 36.
8. Cf. *Gen.*, 32, 24 sq. Le même texte est utilisé à propos de la
prière également dans *Sermo XIV de Oner.* ; *P. L.*, 195, 418 B.

a été accompli pour toi, à cause de toi ; considère aussi comment il l'a été ; et imite ce qui a été ainsi accompli[1].

La femme adultère Rappelle-toi maintenant cette femme prise en adultère[2]. Souviens-toi de ce que Jésus fit à cette occasion et des mots qu'il a dits lorsqu'il fut appelé à porter la sentence. S'il se met à écrire sur le sol, c'est pour faire voir qu'ils sont de la terre et non du ciel. « Que celui de vous qui est sans péché lui jette la première pierre[3]. » Représente-toi les yeux pleins de bonté qu'il lève sur elle, après avoir, par cette sentence, fait trembler et fuir loin du temple ses accusateurs. Écoute la voix douce et tendre avec laquelle il prononce les mots d'absolution. Pense combien elle a dû soupirer, comme elle a dû pleurer, quand il a dit : « Personne ne t'a condamnée, femme ? Moi non plus, je ne te condamnerai pas[4]. »

Heureuse donc cette femme, à cause, si l'on peut dire, de son adultère ! A la fois pardonnée du passé et rassurée pour l'avenir, Car, bon Jésus, quand c'est vous qui dites : Je ne te condamnerai pas, qui donc condamnera encore ? quand Dieu justifie, qui oserait condamner[5] ? Prêtons attention néanmoins à ce qu'il ajoute : « Va, ne pèche plus désormais[6]. »

La pécheresse chez Simon Entre maintenant dans la maison de Simon le pharisien, et regarde ton Seigneur qui a pris place à table[7]. Approche avec la bienheureuse pécheresse jusqu'aux pieds du Seigneur, baigne-les de tes larmes, essuie-les avec ta chevelure, couvre-les de baisers et de parfums. N'es-tu pas déjà tout embaumée de cette liqueur sacrée ?

Si jusqu'à présent il t'a refusé l'approche de ses pieds, insiste, prie, lève vers lui des yeux gonflés de larmes, et par de profonds soupirs et d'inexprimables gémissements arrache-lui l'objet de tes désirs. Lutte avec Dieu comme Jacob, pour qu'il prenne plaisir à se laisser vaincre[8]. Il te semblera parfois qu'il détourne les yeux, qu'il fait la sourde

aliquando quod avertat oculos, quod aures claudat, quod
desideratos pedes abscondat. Tu nihilominus insta oppor-
tune, importune, clama : Usquequo avertis faciem tuam
a me? Usquequo clamabo, et non exaudies? Redde mihi,
Iesu bone, laetitiam salutaris tui, quia tibi dixit cor meum :
Quaesivi faciem tuam, faciem tuam, Domine, requiram.
Certe non negabit pedes suos virgini, quos osculandos
praebuit peccatrici.

Sed domum illam non praeteribis ubi per tegulas paralyticus ante pedes eius submittitur, ubi pietas et potestas
obviaverunt sibi. Fili, inquit, remittuntur tibi peccata.
O mira clementia, o indicibilis misericordia. Accepit felix
remissionem peccatorum, quam non petebat, quam non
praecesserat confessio, non meruerat satisfactio, non
exigebat contritio. Corporis salutem petebat, non animae ;
salutem recepit et corporis et animae. Vere, Domine, vita
in voluntate tua. Si decreveris salvare me, nemo poterit
prohibere. Si aliud decreveris, non est qui audeat dicere :
Cur ita facis?

Pharisaee, quid murmuras? An oculus tuus nequam est
quia ipse bonus est? Certe miseretur cui voluerit. Ploremus
et oremus ut velit. Bonis etiam operibus pinguescat oratio,
augeatur devotio, dilectio excitetur. Leventur purae manus
in oratione, quas non sanguis immunditiae maculavit,
tactus illicitus non foedavit, avaritia non coinquinavit.
Levetur et cor sine ira et disceptatione, quod tranquillitas
sedavit, pax composuit, puritas conscientiae animavit.

---

1. Cf. *II Tim.*, 4, 2.
2. *Ps.* 12, 1.
3. *Ps.* 21, 3.
4. *Ps.* 50, 14.
5. *Ps.* 26, 8.
6. Cf. *Lc*, 5, 19 sq. ; *Mc*, 2, 3 sq.
7. *Mc*, 2, 5.
8. Aelred énumère avec quelque insistance les trois éléments du
sacrement de pénitence ; cf. *Sermo XV de Oner.; P. L.*, 195, 420 D.

oreille, qu'il te cache ces pieds que tu cherches à toucher ;
peu importe, continue à le supplier à temps et à contre-
temps[1], à t'écrier : « Jusques à quand détournerez-vous
de moi votre face[2]? Jusques à quand crierai-je sans être
exaucée[3]? Rendez-moi, ô bon Jésus, la joie de votre salut[4].
Car mon cœur vous a dit : J'ai cherché votre face ; Seigneur,
je ne veux que votre face[5]. » Mais comment refuserait-il à
une vierge ces pieds qu'il a laissé baiser par une pécheresse ?

Le paralytique   Ne passe pas maintenant sans t'y
arrêter devant la maison où l'on a
descendu le paralytique par le toit pour le déposer aux
pieds de Jésus[6], où la bonté et la puissance se rencontrèrent.
« Mon fils, dit-il, tes péchés te sont remis[7]. » O étonnante
clémence et indicible miséricorde ! Heureux homme ! il
reçoit le pardon de ses péchés sans même l'avoir demandé,
sans confession préalable, et sans que la satisfaction ou la
contrition lui aient donné de titres à l'obtenir[8]. C'était la
santé du corps qu'il demandait, non celle de l'âme ; il
obtint les deux à la fois. Vraiment, Seigneur, la vie est
dans vos mains[9]. Si vous décidez de me sauver, personne
n'y pourra mettre obstacle. Si vous en décidez autrement,
qui oserait vous dire : « Pourquoi agissez-vous ainsi? »

Et toi, pharisien, qu'as-tu à murmurer? Est-ce que ton
œil est mauvais parce que le Seigneur est bon[10]? Oui, il fait
miséricorde à qui il veut[11]. Pleurons et prions pour qu'il le
veuille ! Et que les œuvres bonnes rendent aussi la prière
plus forte, que la dévotion s'en augmente, que la charité
en soit stimulée. Lève des mains pures pour la prière, des
mains que le sang de l'impureté n'a pas souillées, des mains
pures de touchers défendus, des mains que l'avarice n'a
pas contaminées. Lève un cœur sans colère et sans contes-
tation[12], un cœur tranquille et apaisé, et que la pureté de
la conscience ait rendu à la vie.

9. *Ps.* 29, 6.
10. *Matth.*, 20, 15.
11. Cf. *Rom.*, 9, 18.
12. Cf. *I Tim.*, 2, 8.

Sed nihil horum paralyticus iste legitur praemisisse, qui tamen legitur remissionem peccatorum meruisse.

Haec est ineffabilis misericordiae eius virtus, cui sicut blasphemum est derogare, ita et hoc sibi praesumere stultissimum. Potest cuicumque vult hoc ipsum efficaciter dicere quod dixit paralytico : Dimittuntur tibi peccata, sed quicumque sine suo labore, vel contritione, vel confessione, vel etiam oratione, sibi hoc dicendum expectat, nunquam ei remittuntur peccata.

Sed exeundum est hinc et ad Bethaniam veniendum, ubi sacratissima foedera amicitiae auctoritate Domini consecrantur. Diligebat enim Iesus Martham et Mariam et Lazarum. Quod ob specialis amicitiae privilegium qua illi familiariori adhearebant affectu dictum, nemo qui ambigat. Testes sunt lacrymae illae dulces, quibus collacrymatus est lacrymantibus, quas totus populus amoris interpretatur indicium, Vide, inquiens, quomodo amabat eum.

Et ecce faciebant ei coenam ibi, et Martha ministrabat, Lazarus autem unus erat ex discumbentibus, Maria autem sumpsit alabastrum unguenti, et fracto alabastro, effudit super caput Iesu.

Gaude, quaeso, huic interesse convivio, singulorum distingue officia : Martha ministrabat, discumbit Lazarus, ungit Maria. Hoc ultimum tuum est. Frange igitur alabastrum cordis tui, et quicquid habes devotionis, quicquid amoris, quicquid desiderii, quicquid affectionis, totum effunde super Sponsi tui caput, adorans in Deo hominem, et in homine Deum.

Si fremit, si murmurat, si invidet proditor, si perditionem vocat devotionem, non sit tibi curae. Ut quid, ait, perditio

1. *Mc*, 2, 5.
2. *Jn*, 11, 5.
3. *Jn*, 11, 36.
4. *Jn*, 12, 2.
5. *Mc*, 14, 3.

— Mais je ne lis pas, (dis-tu,) que le paralytique ait exprimé rien de tout cela, et pourtant je lis qu'il a mérité le pardon de ses péchés.

Oui, c'est le mystère de la puissance et de la miséricorde du Seigneur. Prétendre s'en passer est un blasphème, mais en présumer est le comble de la folie. Il peut dire à qui il veut, avec la même efficacité qu'au paralytique : « Tes péchés te sont remis[1] » ; mais quiconque attendrait tranquillement que cela lui fût dit, sans se donner la moindre peine, sans contrition, ni confession, ni même une prière, à celui-là jamais ses péchés ne lui seront remis.

L'onction de Béthanie   Il nous faut maintenant sortir de chez le paralytique et aller à Béthanie, où les liens sacrés de l'amitié ont reçu du Seigneur leur consécration. Jésus en effet aimait Marthe, Marie et Lazare[2]. Cela signifie, personne n'en doute, qu'il leur vouait une amitié de choix, et qu'eux lui étaient attachés par une affection toute spéciale. Témoin ces douces larmes que Jésus versa, pleurant avec celles qui pleuraient. Toute la foule les interpréta comme un signe d'affection : « Voyez comme il l'aimait[3]. »

Ils l'avaient donc invité pour un souper. Marthe servait, et Lazare était parmi les convives[4]. Marie, prenant un vase d'albâtre plein de parfum, le brisa et en répandit le contenu sur la tête de Jésus[5].

Et toi, sois heureuse d'assister à ce souper. Remarque bien le rôle de chacun : Marthe fait le service, Lazare est à table, et Marie verse le parfum. C'est là aussi ton rôle. Brise donc l'albâtre de ton cœur, et tout ce que tu possèdes de dévotion, tout ce que tu as d'amour, de désir, d'affection, tout, verse-le sur la tête de ton Époux, adorant l'homme dans le Dieu et le Dieu dans l'homme.

Si le traître s'inquiète, s'il murmure, s'il envie, s'il appelle gaspillage ce qui est marque d'amour, ne t'en soucie pas. « Pourquoi cette perte ? On aurait pu vendre ce parfum

haec? Posset hoc unguentum venumdari multo, et dari
pauperibus. Pharisaeus murmurabat, invidens paenitenti ;
murmurabat Iudas, invidens unguenti. Sed iudex accusa-
tionem non recepit, accusatam absolvit. Sine, inquit, illam,
bonum enim opus operata est in me. Laboret Martha, ministret, paret hospitium peregrino, esurienti cibum, et sitienti
potum, vestem algenti. Ego solus Mariae, et illa mihi,
mihi totum praestet quod habet, a me quicquid optat
expectet.

Quid enim? Tu ne Mariae consulis relinquendos pedes,
quos tam dulciter osculabatur ! Avertendos oculos ab illa
speciosissima facie quam contemplatur, amovendum audi-
tum ad eius suavi sermone quo reficitur?

Sed iam surgentes, eamus hinc. Quo? inquis. Certe ut
insidentem asello coeli terraeque Dominum comiteris,
tantaque fieri pro te obstupescens[a], puerorum laudibus
tuas inseras, clamans et dicens : Hosanna Filio David,
benedictus qui venit in nomine Domini.

Iam nunc ascende cum eo in coenaculum grande stratum,
et salutaris coenae interesse deliciis gratulare. Vincat
verecundiam amor, timorem excludat affectus, ut saltem
de micis mensae illius eleemosynam praebeat mendicanti.
Vel a longe sta et quasi pauper intendens in divitem, ut
aliquid accipias extende manum, famem lacrymis prode.

Cum autem surgens a coena, linteo se praecinxerit,
posueritque aquam in pelvim, cogita quae maiestas homi-

---

a. *post* obstupescens *add.* puerorum comiteris, tantaque fieri pro
te obstupescens *Talbot.*

---

1. *Mc*, 14, 4-5.
2. *Mc*, 14, 6.
3. Cf. *Cant.*, 2, 16.
4. Cf. *Jn*, 14, 31.
5. *Matth.*, 21, 9.
6. Cf. *Mc*, 14, 15.

fort cher et en donner le prix aux pauvres[1] ! » Le pharisien murmurait, jaloux de la pénitence ; Judas murmurait, enviant le prix du parfum. Mais le juge ne donne pas suite à leurs accusations et absout l'accusée : « Laissez-la donc faire. ce qu'elle a fait là pour moi est bien[2]. » Que Marthe travaille, qu'elle fasse le service, qu'elle reçoive les pèlerins, donne à boire et à manger aux pauvres et des vêtements à ceux qui ont froid. Pour Marie, il n'y a plus que moi qui compte, et elle pour moi[3]. Tout ce qu'elle a, elle me le donne ; tout ce qu'elle désire, c'est de moi qu'elle l'attend.

Qui donc aurait le cœur d'empêcher Marie d'embrasser ces pieds qu'elle étreint avec tant de bonheur? Qui lui dirait de détourner ses yeux, absorbés dans la contemplation du plus beau des visages? de ne plus écouter ces mots si tendres, qui font toute sa vie?

Les Rameaux et la Cène Mais levons-nous maintenant et partons d'ici[4]. — Où? demandes-tu. Eh bien, mais à la rencontre du Seigneur du Ciel et de la terre, qui vient assis sur un ânon. Émerveillée de voir tout cela s'accomplir pour toi, va mêler tes louanges et tes acclamations à celles des enfants : « Hosannah, Fils de David ! Béni soit celui qui vient au nom du Seigneur[5]. »

Entre maintenant avec lui dans ce vaste cénacle préparé pour le repas[6], tout heureuse de pouvoir participer aux joies du banquet de notre rédemption. L'amour aura raison de la timidité, l'affection chassera la crainte : le Seigneur fera bien à une mendiante l'aumône de quelques miettes de cette table[7]. Ou, si tu préfères, assiste de loin, tends la main comme une pauvresse en présence d'un riche, et montre par tes larmes combien tu as faim.

« S'étant levé de table, il se ceignit d'un linge et versa de l'eau dans un bassin[8]. » Pense à la majesté de celui qui

7. Cf. *Matth.*, 21, 9.
8. Cf. *Jn*, 13, 5.

num pedes abluit et extergit, quae benignitas proditoris
vestigia sacris manibus tangit. Specta et expecta, et ultima
omnium tuos ei pedes praebe abluendos, quia quem ipse
non laverit non habebit partem cum eo.

Quid modo festinas exire? Sustine paululum. Vides ne?
Quisnam ille est, rogo te, qui supra pectus eius recumbit,
et in sinu eius caput reclinat? Felix quicumque ille est.
O, ecce video : Ioannes est nomen eius. O Ioannes, quid ibi
dulcedinis, quid gratiae et suavitatis, quid luminis et
devotionis ab illo haurias fonte edicito. Ibi certe omnes
thesauri sapientiae et scientiae, ibi fons misericordiae, ibi
domicilium pietatis, ibi favus aeternae suavitatis. Unde
tibi, o Ioannes, omnia ista? Nunquid tu sublimior Petro,
Andrea sanctior, ac caeteris omnibus apostolis gratior?
Speciale hoc virginitatis privilegium, quia virgo es electus
a Domino et ideo inter caeteros magis dilectus.

Iam nunc exulta, virgo, accede propius, et aliquam tibi
huius dulcedinis portionem vendicare non differas. Si ad
potiora non potes, dimitte Ioanni pectus, ubi eum vinum
laetitiae in divinitatis cognitione inebriet, tu currens ad
ubera humanitatis, lac exprime quo nutriaris.

Inter haec cum sacratissima illa oratione discipulos
commendans Patri dixerit : Pater, serva eos in nomine tuo,
inclina caput ut et tu merearis audire : Volo ut ubi sum ego,
et illi sint mecum.

Bonum tibi est hic esse, sed exeundum est. Praecedit
ipse ad montem Oliveti, tu sequere.

1. Cf. *Jn*, 13, 8.
2. Cf. *Jn*, 13, 25.
3. Cf. *Lc*, 1, 63.
4. Cf. *Col.*, 2, 3.
5. Cf. *Sermones inediti* (éd. Talbot), p. 123.
6. *Brev. cist.*, In festo S. Joannis, Resp. VI ad Vigil.
7. Sur ces deux degrés dans la connaissance du Christ, cf. Introduction, p. 25-26 ; comparer avec GUILLAUME DE SAINT-THIERRY,
La contemplation de Dieu (*S. C.*, 61), p. 64, n. 1 et p. 126, n. 2.
8. *Jn*, 17, 11.

lave et essuie les pieds de ces hommes, à son indulgence quand il en vient à toucher de ses mains sacrées les pieds du traître. Suis toute cette scène, attends-le, et la dernière de tous va lui présenter tes pieds à laver, parce que celui qu'il n'aura pas lui-même purifié n'aura pas de part avec lui[1].

Pourquoi te hâter de sortir? Reste encore un peu. Ne remarques-tu pas celui-là qui s'est penché vers la poitrine du Maître, et a incliné la tête sur son sein[2]? Qui est-ce donc? Quel bonheur pour lui, en tout cas. Oh! je vois : « Jean est son nom[3] ». O Jean, dis-nous quelle douceur, quelle grâce pénétrante et quelle lumière et quelle ardeur n'as-tu pas puisées à cette source! Dans cette poitrine, tu as les trésors de la sagesse et de la science[4], la fontaine de miséricorde, le séjour de la tendresse, le rayon du miel de l'éternelle suavité. Mais d'où te viennent semblables faveurs? Es-tu plus grand que Pierre[5]? plus saint qu'André? plus digne d'être aimé que tous les autres apôtres? C'est le privilège particulier de la virginité : tu étais vierge, et le Seigneur t'a choisi[6] et t'a aimé plus que les autres.

Aussi sois dans l'exultation, vierge, approche de plus près, et sans perdre de temps réclame ta part à ces douceurs. Mais si tu ne te sens pas capable d'aller aux sublimités, laisse à Jean le cœur où il s'enivre du vin d'allégresse, de la connaissance de la divinité, et cours vers son sein, vers son humanité, pour en boire le lait nourrissant[7].

Et quand viendra le moment, où dans la plus sainte des prières, il recommandera ses disciples au Père : « Père, garde-les en ton nom[8] », incline la tête pour mériter toi aussi de t'entendre dire : « Là où je suis, je veux qu'ils soient eux aussi avec moi[9]. »

Il t'est bon d'être ici[10], mais il faut partir. Il se dirige, à la tête du groupe, vers le Mont des Oliviers. Suis-le.

9. *Jn*, 17, 24.
10. Cf. *Matth.*, 17, 4.

Et licet assumpto Petro et duobus filiis Zebedaei ad
secretiora secesserit, vel a longe intuere, quomodo in se
nostram transluterit necessitatem. Vide quomodo ille
cuius sunt omnia, pavere incipit et taedere, tristis est,
inquiens, anima mea usque ad mortem. Unde hoc, Deus
meus? Ita compateris mihi te exhibens hominem, ut
quodammodo videaris nescire quod Deus es. Prostratus in
faciem oras, et factus est sudor tuus sicut gutta sanguinis
decurrentis in terram. Quid stas? Accurre, et suavissimas
illas guttas adlambe, et pulverem pedum illius linge. Noli
dormire cum Petro, ne merearis audire : Sic non potuisti
una hora vigilare mecum?

Sed ecce iam proditorem praeeuntem impiorum turba
subsequitur, et osculum praebente Iuda, manus iniciunt
in Dominum tuum. Tenent, ligant, et illas dulces manus
vinculis stringunt. Quis ferat? Scio, occupat nunc cor tuum
pietas, omnia viscera tua zelus inflammat. Sine, rogo,
patiatur, qui pro te patitur. Quid optas gladium? Quid
irasceris? Quid indignaris? Si instar Petri cuiuslibet aurem
abscideris, si ferro brachium tuleris, si pedem truncaveris,
ipse restituet omnia, qui etiam si quem occideris absque
dubio suscitabit.

Sequere potius eum ad atrium principis sacerdotum,
et speciosissimam eius faciem, quam illi sputis illiniunt,
tu lacrymis lava. Intuere quam piis oculis, quam miseri-
corditer, quam efficaciter tertio negantem respexit Petrum,
quando ille conversus, et in se reversus, flevit amare.
Utinam, bone Iesu, tuus me dulcis respiciat oculus, qui
te totiens ad vocem ancillae procacis, carnis scilicet meae,
pessimis operibus affectibusque negavi.

1. Cf. Matth., 26, 37.
2. Matth., 26, 38.
3. Cf. Lc, 22, 44.
4. Matth., 26, 40.
5. Cf. Matth., 26, 47 sq.
6. Cf. Matth., 26, 51.
7. Cf. Lc, 22, 61-62.

La Passion   Prenant avec lui Pierre et les deux
fils de Zébédée, il s'est retiré à l'écart[1].
Regarde pourtant, de loin. Vois comment il a fait sienne
notre détresse. Tout lui est soumis, et vois pourtant comme
la peur et le dégoût le saisissent : « Mon âme est triste
jusqu'à la mort[2]. » D'où vient cela, mon Dieu ? Votre
compassion pour moi vous incite à tellement vous montrer
homme, que vous semblez oublier que vous êtes Dieu !
Vous priez la face prosternée, et voici que votre sueur se
transforme en gouttes de sang qui coulent à terre[3]. Mais
que restes-tu là plantée ? Mais cours donc, et recueille
de tes lèvres ces gouttes délicieuses, et lèche la poussière
de ses pieds. Ne va pas dormir comme Pierre, au risque
de t'entendre dire : « Ainsi donc, tu n'as pu veiller avec
moi une seule heure[4] ! »

Et voici que vient le traître et la foule des impies à sa
suite. Dès que Judas offre le baiser, ils mettent la main
sur ton Seigneur[5]. Ils le saisissent, le garottent, ils serrent
avec des cordes ces douces mains ! Qui peut soutenir un
pareil spectacle ? Tu as le cœur gros de pitié, je le sais, et
tout en toi se révolte ; mais laisse-le souffrir, je t'en prie,
car c'est pour toi qu'il souffre. Tu cherches un glaive ?
Pourquoi t'emporter ? A quoi bon t'indigner ? Même si,
comme Pierre, tu coupes l'oreille[6], le bras ou le pied de
l'un des agresseurs, il remettrait tout en place, et quand
tu en tuerais un, sois-en sûre, il le ressusciterait.

Suis-le plutôt dans la cour du prince des prêtres. Baigne
de tes larmes son beau visage qu'ils ont couvert de crachats.
Vois quelle tendresse, quelle miséricorde, et quel secours
efficace aussi, dans ce regard qu'il a pour Pierre, qui le
renie pour la troisième fois ! Pierre s'est retourné, et aussitôt, rentrant en lui-même, il se met à pleurer amèrement[7].
Ah ! que vos yeux, bon Jésus, que votre regard affectueux
s'arrêtent aussi sur moi qui, aux appels de cette servante
effrontée, je veux dire de ma chair, vous ai si souvent
renié par tant d'actions mauvaises et d'affections coupables.

Sed iam mane facto traditur Pilato. Ibi accusatur et tacet, quoniam tanquam ovis ad occisionem ducitur, et sicut agnus coram tondente, sic non aperuit os suum. Vide, attende quomodo stat ante praesidem, inclinato capite, demissis oculis, vultu placido, sermone raro, paratus ad opprobria et ad verbera promptus.

Scio non potes ulterius sustinere, nec dulcissimum dorsum eius flagellis atteri, nec faciem alapis caedi, nec tremendum illud caput spinis coronari, nec dexteram quae caelum fecit et terram arundine dehonestari, tuis oculis aspicere poteris.

Ecce educitur flagellatus, portans spineam coronam et purpureum vestimentum. Et dicit Pilatus : Ecce homo. Vere homo est. Quis dubitet? Testes sunt plagae virgarum, livor ulcerum, foeditas sputorum. Iam nunc agnosce, Zabule, quia homo est. Vere homo est, inquis. Sed quid est quod in tot iniuriis non irascitur ut homo, non suis indignatur tortoribus ut homo? Ergo plus est quam homo. Sed quis cognoscit illum? Cognoscitur certe homo, impiorum iudicia sustinens ; sed cognoscetur Deus iudicium faciens.

Sero animadvertisti, Zabule. Quid tibi per mulierem visum est agere, ut dimittatur? Tarde locutus es. Sedet pro tribunali iudex, prolata est sententia, iam propriam portans crucem ducitur ad mortem. O spectaculum ! Videsne? Ecce principatus super humerum eius. Haec est enim virga aequitatis, virga regni eius.

Datur ei vinum felle mixtum. Exuitur vestimentis suis, et inter milites dividuntur. Tunica non scinditur, sed sorte transit ad unum. Dulces manus eius et pedes clavis perfo-

---

1. *Is.*, 53, 7.
2. *Jn*, 19, 5.
3. *Zabulus:* variante orthographique banale pour *Diabolus*.
4. Cf. *Ps.* 9, 17.
5. Il s'agit de la femme de Pilate ; cf. *Matth.*, 27, 19.
6. Cf. *Is.*, 9, 6.
7. Cf. *Ps.* 44, 7.

Mais voici le matin, et Jésus est livré à Pilate. Il est accusé, et il se tait : comme une brebis conduite à la mort, comme un agneau aux mains de celui qui le tond, il n'ouvre pas la bouche[1]. Regarde, vois quelle est son attitude devant le gouverneur : tête inclinée, yeux baissés, les traits calmes parlant peu, prêt à supporter les outrages et s'offrant déjà aux coups.

C'est trop pour toi, je le comprends. Tu ne peux supporter de voir ses chères épaules lacérées par les fouets, sa face giflée, cette tête majestueuse couronnée d'épines et sa droite, qui a fait le ciel et la terre, ridiculisée par un roseau !

Après l'avoir flagellé, on l'emmène portant la couronne d'épines et le manteau de pourpre. Et Pilate dit : « Voici l'homme[2] ! » Oui, c'est bien un homme. Qui en douterait ? Les traces des fouets sont là pour le prouver, les blessures livides et la saleté des crachats. Comprends enfin, Satan[3], que c'est là un homme. C'est bien un homme, dis-tu. Et d'où vient alors qu'au milieu de tant d'horreurs il ne s'irrite pas comme un homme, il ne se révolte pas contre ses bourreaux ? Il y a ici plus qu'un homme. Mais qui le comprend ? On voit l'homme qui subit les jugements iniques, mais le Dieu, on le reconnaîtra lorsqu'il viendra pour le jugement[4].

Il était trop tard pour te reprendre, Satan ! Où voulais-tu en venir par l'intermédiaire de cette femme[5] ? Le faire libérer ? Tu as parlé trop tard. Le juge est au tribunal, le verdict est prononcé. Le voilà portant sa croix. On le conduit à la mort. Quel spectacle ! Vois-tu ? Il porte les insignes princiers sur l'épaule[6], le sceptre de justice, le sceptre de sa royauté[7].

On lui donne du vin mêlé de fiel. On lui arrache ses vêtements, et ils sont partagés entre les soldats. La tunique, elle, n'est point divisée, mais attribuée à celui que le sort désigne[8]. Ses douces mains, ses pieds, sont percés de clous ;

8. Cf. *Jn*, 19, 23-24.

rantur, et extensus in cruce inter latrones suspenditur.
Mediator Dei et hominum inter caelum et terram medius
pendens, ima superis unit, et coelestibus terrena coniungit.
Stupet caelum, terra miratur.

Quid tu? Non mirum si sole contristante, tu contristaris,
si terra tremiscente, tu contremiscis, si scissis saxis, tuum
cor scinditur, si flentibus iuxta crucem mulieribus, tu
collacrymaris.

Verum in his omnibus considera illud dulcissimum
pectus, quam tranquillitatem servaverit, quam exhibuerit
pietatem. Non suam attendit iniuriam, non poenam reputat,
non sentit contumelias, sed illis potius a quibus patitur,
ille compatitur, a quibus vulneratur, ille medetur, vitam
procurat, a quibus occiditur. Cum qua mentis dulcedine,
cum qua spiritus devotione, in qua caritatis plenitudine
clamat : Pater, ignosce illis.

Ecce ego, Domine, tuae maiestatis adorator, non tui
corporis interfector, tuae mortis venerator, non tuae
passionis irrisor, tuae misericordiae contemplator, non
infirmitatis contemptor. Interpellet itaque pro me tua dulcis
humanitas, commendet me Patri tuo tua ineffabilis pietas.
Dic igitur, dulcis Domine : Pater, ignosce illi.

At tu, virgo, cui maior est apud Virginis Filium confi-
dentia a mulieribus quae longe stant, cum Matre virgine
et discipulo virgine accede ad crucem, et perfusum pallore
vultum cominus intuere. Quid ergo? Tu sine lacrymis,
amantissimae dominae tuae lacrymas videbis? Tu siccis
manes oculis, et eius animam pertransit gladius doloris?
Tu sine singultu audies dicentem Matri : Mulier, ecce filius

1. *I Tim.*, 2, 5.
2. *Lc*, 23, 34.
3. Cf. *Lc*, 2, 35.
4. Cf. *Jn*, 19, 26-27.

étendu sur une croix, il est hissé entre des bandits. Médiateur entre Dieu et les hommes[1], il est suspendu entre ciel et terre, trait d'union d'ici-bas et d'en-haut, pour joindre les réalités terrestres aux célestes. Les cieux s'étonnent et la terre est dans la stupeur.

Et toi ? Comment s'étonner que ta tristesse réponde au deuil dont le soleil se voile, que tu trembles quand la terre elle-même tremble, que ton cœur se fende avec les rochers, que tu pleures avec les femmes éplorées au pied de la croix ?

Mais au milieu de tant d'émotions, pense à son cœur si tendre et au calme qu'il sut garder. Quelle bonté dans ses sentiments ! Il ne prend pas garde à l'injure, ne fait pas attention à la souffrance, ne sent pas les outrages ; bien plus, il a compassion des auteurs de sa passion, il guérit ceux qui le blessent et donne la vie à ceux qui la lui enlèvent. Et quand il s'écrie : « Père, pardonne-leur[2] ! » de quelle douceur, de quelle grandeur d'âme et de quelle plénitude de charité ne donne-t-il pas la preuve ?

Et me voici, Seigneur, moi qui n'ai pas porté atteinte à votre corps, mais qui, devant votre majesté, adore ; moi qui vénère votre mort, alors qu'eux riaient de votre passion ; eux méprisaient votre faiblesse, et me voici en admiration devant votre miséricorde. Ah ! ne parlera-t-elle pas pour moi, votre douce humanité ? Qu'elle intercède pour moi auprès du Père, votre indicible bonté ! Dites, doux Seigneur : Père, pardonne-lui !

Quant à toi, vierge, l'accueil du Fils de la Vierge t'est bien plus assuré qu'à ces femmes qui là-bas se tiennent à distance. Approche-toi donc de la croix avec la Vierge mère et le disciple vierge ; regarde ce visage tout blême. Eh quoi ? Pourras-tu voir sans larmes couler les pleurs de notre très aimante Dame ? Tu restes là les yeux secs, tandis que le glaive de la douleur transperce son âme[3] ? Entendras-tu sans tressaillir le Fils dire à sa mère : « Femme, voilà ton fils », et à Jean : « Voilà ta mère[4] », tandis qu'il

tuus, et Ioanni : Ecce mater tua, cum discipulo matrem committeret, latroni paradisum promitteret?

Tunc unus ex militibus lancea latus eius aperuit, et exivit sanguis et aqua. Festina, ne tardaveris, comede favum cum melle tuo, bibe vinum tuum cum lacte tuo. Sanguis tibi in vinum vertitur ut inebrieris, in lac aqua mutatur ut nutriaris. Facta sunt tibi in petra flumina, in membris eius vulnera, et in maceria corporis eius caverna, in quibus instar columbae latitans et deosculans singula ex sanguine eius fiant sicut vitta coccinea labia tua, et eloquium tuum dulce.

Sed adhuc expecta donec nobilis iste decurio veniens, extractis clavis manus pedesque dissolvat. Vide quomodo felicissimis brachiis dulce illud corpus complectitur, ac suo astringit pectori. Tunc dicere potuit vir ille sanctissimus : Fasciculus myrrhae dilectus meus mihi, inter ubera mea commorabitur. Sequere, tu, preciosissimum illum caeli terraeque thesaurum, et vel pedes porta, vel manus brachiaque sustenta, vel certe defluentes minutatim preciosissimi sanguinis stillas curiosius collige, et pedum illius pulverem linge. Cerne praeterea quam dulciter, quam diligenter beatissimus Nicodemus sacratissima eius membra tractat digitis, fovet unguentis, et cum sancto Ioseph involvit sindone, collocat in sepulchro.

Noli praeterea Magdalenae deserere comitatum, sed paratis aromatibus cum ea Domini tui sepulchrum visitare memento. O si quod illa oculis, tu in spiritu cernere merearis, nunc super lapidem revolutum ab ostio angelum residentem, nunc intra monumentum, unum ad caput, alium

1. Cf. *Lc*, 23, 43.
2. Cf. *Jn*, 19, 34.
3. Cf. *Cant.*, 5, 1.
4. Cf. *Ps.* 77, 16.
5. Cf. *Cant.*, 2, 14.
6. Cf. *Cant.*, 4, 3.
7. Cf. *Mc*, 15, 43.

remettait sa mère au disciple, et qu'il promettait le paradis au bon larron[1] ?

Alors un des soldats lui ouvrit le côté de sa lance, et il en sortit du sang et de l'eau[2]. Vite, hâte-toi, va manger le rayon avec ton miel, va boire ton vin avec ton lait[3]. Car le sang se change en vin pour t'enivrer et l'eau devient du lait pour te nourrir. Vraiment, des fleuves ont jailli pour toi de la pierre[4], des trous ont été percés dans la muraille[5] de son corps : les blessures de ses membres, au creux desquelles, comme la colombe, tu peux t'aller blottir, les baisant une à une. Et le sang sur tes lèvres tracera un fil d'écarlate, et ta parole deviendra suave[6].

Mais attends encore que ce noble sanhédrite[7] vienne arracher les clous et libérer les mains et les pieds. Regarde comme de ses bras il enveloppe le corps et le serre sur sa poitrine. Ce saint homme pouvait bien dire, lui : « Mon bien aimé repose sur mon sein comme un sachet de myrrhe[8]. » Suis alors le plus précieux trésor du monde, et porte les pieds, ou bien soutiens les bras et les mains, ou encore recueille jalousement les gouttes de ce sang précieux qui viennent à tomber et pose tes lèvres sur la poussière de ses pieds. Vois aussi le bienheureux Nicodème[9] : avec quel soin affectueux il touche de ses doigts ces très saints membres et les enduit d'onguent ; comment, avec le vénérable Joseph, il l'enveloppe dans le linceul et le dépose dans le tombeau.

L'apparition à Marie-Madeleine Ne va pas maintenant fausser compagnie à Madeleine, mais fais-toi un devoir de visiter avec elle le sépulcre de ton Seigneur, et d'y aller porter des parfums[10]. Oh ! si tu pouvais mériter de voir en esprit ce qu'elle a vu, elle, de ses yeux : l'ange assis sur la pierre roulée à l'entrée du tombeau, puis, à

8. *Cant.*, 1, 12.
9. Cf. *Jn*, 19, 39.
10. Cf. *Lc*, 24, 1 sq.

ad pedes, resurrectionis gloriam praedicantes, nunc ipsum
Iesum Mariam flentem et tristem tam dulci respicientem
oculo, tam suavi voce dicentem : Maria, Quid hac voce
dulcius? Quid suavius? Quid iucundius? Maria : rum-
pantur ad hanc vocem omnes capitis cataractae, ab ipsis
medullis eliciantur lacrymae, singultus atque suspiria ab
imis trahantur visceribus. Maria : o beata, quid tibi mentis
fuit, quid animi, cum ad hanc vocem te prosterneres, et
reddens vicem salutanti inclamares : Rabbi. Quo rogo
affectu, quo desiderio, quo mentis ardore, qua devotione
cordis clamasti : Rabbi. Nam plura dicere lacrymae
prohibent, cum vocem occludat affectus, osque animae
corporisque sensus nimius amor absorbeat.

Sed o dulcis Iesu, cur a sacratissimis ac desiderantissimis
pedibus tuis sic arces amantem? Noli, inquit, me tangere.
O verbum durum, verbum intolerabile : Noli me tangere.
Ut quid, Domine? Quare non tangam? Desiderata illa
vestigia pro me perforata clavis, perfusa sanguine, non
tangam, non deosculabor? An immitior es solito, quia
gloriosior? Ecce non dimittam te, non recedam a te, non
parcam lacrymis, pectus singultibus suspiriisque rumpetur,
nisi tangam.

Et ille : Noli timere, non aufertur tibi bonum hoc, sed
differtur. Vade tantum et nuntia fratribus meis, quia
surrexi.

Currit cito, cito volens redire. Redit, sed cum aliis
mulieribus. Quibus ipse Iesus occurrens blanda salutatione,
deiectas erigit, tristes consoletur. Adverte. Tunc est datum,

---

1. *Jn*, 20, 16.
2. *Jn*, 20, 17.
3. Cf. *Gen.*, 32, 26 et *supra*, p. 91.

l'intérieur, l'un à la tête, l'autre aux pieds, les anges
annonçant la gloire de la résurrection. Si tu pouvais voir
Jésus lui-même regardant affectueusement Marie en larmes
et lui disant d'une voix pleine de tendresse : « Marie[1] ! »
Quoi de plus doux que cette voix, quoi de plus prenant,
et quel plus grand bonheur ? « Marie ! » A cet appel, les
larmes jaillissent de ses yeux et de son cœur. Profondément
remuée, elle éclate en soupirs et en sanglots. « Marie ! »
O bienheureuse Marie ! quel tumulte de sentiments et
d'émotions quand à cet appel tu t'es prosternée, et qu'en
réponse à sa voix tu t'es écriée : « Rabbi ! » Avec quel
élan, faut-il le demander, avec quel désir, avec quelle
ardeur d'esprit, quel abandon de cœur, n'as-tu pas crié :
« Rabbi ! » On ne parle guère lorsque les larmes coulent,
les mots font défaut quand l'émotion est trop forte. Un
trop ardent amour oblige l'âme à se taire et rend le corps
insensible.

Mais, ô aimable Jésus, pourquoi repoussez-vous ainsi
loin de vos pieds sacrés celle qui vous aime et désirerait
tant les atteindre ? « Ne me touche pas[2] ! » dit-il. Oh ! le
mot dur, qui fait mal ! « Ne me touche pas ! » Mais pourquoi,
Seigneur, pourquoi ne puis-je toucher ? Ces pieds, pour
moi percés de clous, couverts de sang, je ne pourrai les
toucher, je ne pourrai les embrasser ? Êtes-vous plus
distant parce que plus glorieux ? Non, non, je ne vous
laisserai pas partir[3], je ne vous quitterai pas, je ne m'arrê-
terai pas de pleurer, et si je ne puis vous toucher, ma
poitrine éclatera, tant les soupirs et les sanglots
m'oppressent !

Et lui de répondre : N'aie pas peur, ce bonheur ne t'est
pas refusé, mais différé seulement. Va donc, et annonce
à mes frères que je suis ressuscité.

Elle y court en hâte, impatiente d'être de retour. Et
elle revient, mais avec les autres femmes. Jésus va à leur
rencontre ; il les salue de quelques mots affectueux, il les
relève de leur abattement et les console de leur chagrin.

quod fuit ante dilatum. Accesserunt enim, et tenuerunt
pedes eius.

Hic quamdiu potes, virgo, morare. Non has delicias tuas
somnus interpolet, nullus exterior tumultus impediat.

Verum quia in hac misera vita nihil stabile, nihil aeternum est nec unquam in eodem statu permanet homo,
necesse est ut anima nostra, dum vivimus, quadam varietate pascatur. Unde a praeteritorum recordatione ad
experientiam praesentium transeamus, ut ex his quoque
quantum a nobis sit diligendus Deus intelligere valeamus.

32. Non parvum aestimo beneficium quod bene utens
malo parentum nostrorum creavit nos de carne illorum et
inspiravit in nobis spiraculum vitae, discernens nos ab
illis qui vel abortivi proiecti sunt ab utero, vel qui inter
materna viscera suffocati, poenae videntur concepti non
vitae. Quid etiam quod integra nobis et sana membra
creavit, ne essemus nostris dolori, opprobrio alienis?

Magnum certe et hoc. Sed quomodo illud quantae bonis
tatis fuerit aestimabimus, quod eo tempore, et inter tale-
nos nasci voluit, per quos ad fidem suam et sacramenta
perveniremus? Videamus innumerabilibus millibus hominum hoc negatum quod nobis gratulamus esse concessum,
cum quibus nobiscum una esset eademque conditio, illi
derelicti per iustitiam, nos vocati sumus per gratiam.

Procedamus intuentes munus eius fuisse, quod educati

1. *Matth.*, 28, 9.
2. Cf. *Job*, 14, 2.
3. Cf. *supra*, p. 64, note 5.
4. Allusion à la doctrine augustinienne, selon laquelle, dans
l'ordre actuel, la concupiscence désordonnée est toujours liée à l'acte
du mariage.

Et, remarque-le, c'est maintenant qu'est accordé ce qui avait été différé. Car elles s'approchèrent de lui et étreignirent ses pieds[1].

Demeure là, vierge, aussi longtemps que tu le peux. Que le sommeil ne vienne pas interrompre ces instants de bonheur, qu'aucun bruit du dehors ne puisse t'en distraire.

Hélas ! il n'y a rien de stable en cette vie misérable, rien d'éternel, et l'homme ne parvient jamais à se fixer longtemps en quelque état[2]. Le changement est une nécessité pour notre âme, c'est sa nourriture durant cette vie[3]. Aussi, du souvenir des bienfaits du passé, passons à l'expérience des biens présents. Ceux-ci nous feront comprendre également combien nous avons sujet d'aimer Dieu.

2. Les bienfaits présents

32. Ce n'est pas un bienfait négligeable, à mon avis, que, faisant tourner à bien la faute de nos parents[4], Dieu nous ait créés de leur chair et nous ait donné le souffle de la vie. Il nous a préférés, toi et moi, à tant d'autres qui, victimes d'une naissance prématurée ou morts dans le sein maternel, semblent avoir été conçus plus pour la peine (éternelle) que pour la vie. De plus, il nous a créés, toi et moi, avec des membres sains et bien conformés, de sorte que nous ne sommes ni à charge aux nôtres, ni objet de répulsion pour les étrangers.

Ce sont là, déjà, de grands privilèges. Mais comment alors estimer à sa juste valeur cette marque de sa bonté qui nous fit naître en un temps et parmi ceux qui nous conduiraient à sa foi et à ses sacrements ? Jetons un regard sur ces milliers d'hommes auxquels cette grâce dont nous sommes les bénéficiaires est refusée. Nous étions en tout leurs semblables, partageant leur condition, et pourtant c'est en toute justice qu'ils ont été abandonnés, et c'est par grâce que nous avons été appelés.

Mais continuons la liste des dons de Dieu. Nos parents

a parentibus fuimus, quod nos flamma non laesit, quod non
absorbuit aqua, quod non vexati a daemone, quod non
percussi a bestiis, quod praecipitio non necati, quod usque
ad congruam aetatem in eius fide et bona voluntate nutriti.

Hucusque simul cucurrimus, soror, quibus una fuit
eademque conditio, quos idem pater genuit, idem venter
complexus est, eadem viscera profuderunt. Iam nunc in
me, soror, adverte, quanta fecerit Deus animae tuae.
Divisit enim inter te et me quasi inter lucem et tenebras,
te sibi conservans, me mihi relinquens. Deus meus, quo
abii, quo fugi, quo evasi? Eiectus quippe a facie tua sicut
Cain, habitavi in terra Naïd, vagus et profugus, et quicumque invenit me occidit me. Quid enim ageret miserabilis
creatura, a suo derelicta Creatore? Quo iret vel ubi lateret
ovis erronea, suo destituta pastore? O soror, fera pessima
devoravit fratrem tuum. In me igitur cerne quantum
tibi contulerit, qui te a tali bestia conservavit illaesam.

Quam miser ego tunc qui meam pudicitiam perdidi, tam
beata tu, cuius virginitatem gratia divina protexit. Quotiens tentata, quotiens impetita, tua tibi est castitas
reservata, cum ego libens in turpia quaeque progrediens,
coacervavi mihi materiam ignis quo comburerer, materiam
foetoris quo necarer, materiam vermium a quibus corro-
derer.

Recole, si placet, illas foeditates meas pro quibus me
plangebas et corripiebas saepe puella puerum, femina
masculum. Sed non fallit Scriptura, quae ait : Nemo potest

---

1. Cf. *Ps*. 65, 16.

2. Cf. *Gen*., 1, 18.

3. Cf. *Gen*., 4, 14, selon les LXX (cf. GUILLAUME DE SAINT-
THIERRY, *De nat. animae et corp*., II ; *P. L*., 180, 725 C).

4. Cf. *I Pierre*, 2, 25.

5. Cf. *Gen*., 37, 20.

6. Ce long passage est inspiré de S. AUGUSTIN, *Confess*., II, 1-2 ;
cf. Introduction, p. 28, note 2.

7. *Eccl*., 7, 14.

nous ont formés au bien, nous n'avons pas péri dans les
flammes, nous ne nous sommes pas noyés, nous n'avons
pas été possédés d'un démon, nous n'avons pas été renversés
par des bêtes, nous ne nous sommes pas rompu le cou dans
quelque ravin. Enfin, nous avons été élevés dans la foi
et le bon plaisir de Dieu jusqu'à l'âge requis.

Jusque-là, ma sœur, nous avons couru de conserve, nos
vies étaient semblables en tout. Le même père nous avait
engendrés, le même sein nous avait portés et mis au monde.
Mais à partir de maintenant, c'est par contraste avec ma
vie que tu verras, ma chère sœur, tout ce que Dieu a fait
pour toi[1]. Car à partir de ce moment, il t'a séparée de moi
comme il a séparé la lumière des ténèbres[2]. Toi, il t'a préservée pour lui ; moi, il m'a laissé à moi-même. Mon Dieu,
où me suis-je donc en allé, enfui, échappé ? Chassé de devant
votre face, comme Caïn, j'ai habité dans la terre de Naïd,
errant et pourchassé, et quiconque m'a rencontré m'a tué[3].
Et qu'aurais-je pu faire, misérable créature abandonnée
par son Créateur ? Où pourrait bien aller, où pourrait se
cacher la brebis égarée, privée de pasteur[4] ? O sœur, une
bête mauvaise a dévoré ton frère[5] ! Et vois, d'autre part,
ce qu'il t'a accordé : il t'a protégée, et cette bête ne t'a
pas touchée.

Comme j'ai été malheureux alors, une fois ma candeur
perdue, et quel n'est pas ton bonheur à toi d'avoir été
gardée vierge par la grâce divine. Si souvent tentée, si
souvent attaquée, ta chasteté n'en est pas moins sans
flétrissure, tandis qu'à plaisir je m'enfonçais dans mes
turpitudes, entassant le bois de mon bûcher, accumulant
la puanteur qui m'étoufferait, préparant la pâture des vers
qui me rongeraient.

Souviens-toi, veux-tu, de mes turpitudes[6] qui te faisaient
pleurer ; souviens-toi de la jeune fille qui me grondait
enfant, de la femme qui reprenait le jeune homme que
j'étais. Mais l'Écriture ne se trompe pas : « Personne ne
peut corriger celui que Dieu délaisse[7]. » Combien tu dois

corrigere quem Deus despexerit. O quantum diligendus est
a te qui cum me repelleret, te attraxit, et cum esset aequa
utriusque conditio, cum me despiceret, te dilexit.

Recole nunc, ut dixi, corruptiones meas cum exhalaretur
nebula libidinis ex limosa concupiscentia carnis et scatebra
pubertatis, nec esset qui eriperet et salvum faceret. Verba
enim iniquorum praevaluerunt super me, qui in suavi
poculo amoris propinabant mihi venenum luxuriae, conve-
nientesque in unum affectionis suavitas et cupiditatis
impuritas rapiebant imbecillem adhuc aetatem meam per
abrupta vitiorum atque mersabant gurgite flagitiorum.
Invaluerat super me ira et indignatio tua, Deus, et nescie-
bam, ibam longius a te et sinebas, iactabar et effundebar,
diffluebar per immunditias meas, et tacebas.

Eia soror, diligenter attende omnia ista turpia et nefanda,
in quae me meum praecipitavit arbitrium, et scio te in
haec omnia corruisse, si non te Christi misericordia conser-
vasset.

Nec haec dico quasi nihil mihi contulerit boni, cum
exceptis his quae superius diximus utrisque collata, mira
patientia meas sustinuit iniquitates, cui debeo quod me
terra non absorbuit, non fulminavit caelum, non flumina
submerserunt. Quomodo enim sustineret creatura tantam
iniuriam Creatoris, si non impetum eius cohiberet ipse qui
condidit, qui non vult mortem peccatoris, sed ut conver-
tatur et vivat?

Ad illud quantae fuit gratiae, quod fugientem prosecutus
est, timenti blanditur quod erexit in spem totiens despe-
ratum, quod suis obruit beneficiis ingratum, quod gustu

1. Cf. *Ps.* 7, 3.
2. *Ps.* 64, 4.
3. Cf. *Éz.*, 33, 11.

l'aimer de t'avoir attirée à lui alors qu'il me repoussait. Pareille était notre condition à tous deux, mais il s'est détourné de moi, tandis que toi, il t'a aimée.

Rappelle-toi, te disais-je, mes désordres. Un lourd nuage de désirs montaient des marais fangeux de mes ardeurs charnelles et passionnées d'adolescent. Et personne pour m'en retirer, personne pour m'en sauver[1]. Les suggestions des pêcheurs l'avaient emporté[2]. Dans la belle coupe de l'amour, c'était le poison de la luxure qu'ils me présentaient. Ce mélange de douceur affectueuse et de désir impur emportait ma folle jeunesse sur la pente du vice et m'engloutissait dans un gouffre de débauches. Votre colère, mon Dieu, et votre indignation s'étaient appesanties sur moi, mais je ne m'en souciais guère. J'allais, j'allais toujours plus loin de vous, et vous me laissiez faire. Je me dissipais, je me perdais, je me répandais en débordements impurs, et vous vous taisiez.

Ah ! ma sœur, vois dans quelles turpitudes et quelles hontes m'a précipité ma liberté. Et toi aussi tu t'y serais laissée aller, j'en suis sûr, si le Christ dans sa bonté ne t'en avait préservée.

Si je rappelle toutes mes misères, ce n'est certes pas qu'il ne m'ait jamais accordé aucun bien. Sans compter les bienfaits dont j'ai parlé plus haut, et qui nous ont été départis à tous deux, sa patience devant tous mes méfaits est une grâce étonnante, cette patience qui n'a pas permis à la terre de m'engloutir, ni au ciel de me foudroyer, ni aux fleuves de me submerger. Comment en effet la créature pourrait-elle supporter que soient ainsi violés les droits du Créateur, si celui-là même qui l'a faite n'en contenait l'indignation ? Car il ne veut pas la mort du pécheur, mais qu'il se convertisse et vive[3].

Et quels prodiges de la grâce en tout cela : je m'enfuyais, et vous me poursuiviez ; je m'effarouchais, et vous vous faisiez caressant ; j'étais désespéré, et vous me releviez la tête vers un espoir encore. Cet ingrat, vous l'accabliez

interioris dulcedinis immundis assuetum delectationibus
attraxit et illexit, quod indissolubilia malae consuetudinis
vincula solvit, et abstractum saeculo benigne suscepit.

Taceo multa et magna misericordiae suae circa me opera,
ne aliquid gloriae quae tota illius est, ad me videatur
transire. Ita enim secundum hominum aestimationem sibi
cohaerent gratia dantis et felicitas recipientis, ut non
solum laudetur, qui solus laudandus esset, ille qui dedit,
sed etiam ille qui recipit. Quid enim habet aliquis quod non
accipit? Si autem gratis accepit, quare laudatur velut
promeruerit? Tibi igitur laus, Deus meus, tibi gloria, tibi
gratiarum actio, mihi autem confusio faciei, qui tot mala
feci, et tot bona recepi.

Quid igitur, inquis, me minus accepisti? O soror, quam
felicior ille est cuius navim plenam mercibus et onustam
divitiis flatus mitior integram revexit in portum, quam
qui passus naufragium, vix nudus mortem evasit. Tu ergo
in his quas tibi divina gratia servavit, exultas divitiis :
mihi maximus labor incumbit ut fracta redintegrem,
amissa recuperem, scissa resarciam.

Verumtamen et me volo aemuleris, valdeque putes
erubescendum, si post tot flagitia, in illa vita tibi fuero
inventus aequalis, cum saepe virginitatis gloriam interve-
nientia quaedam vitia minuant, et veteris conversationis
opprobrium morum mutatio et succedentes vitiis virtutes
obliterent.

Sed iam illa in quibus tibi sola conscia es divinae boni-

1. Cf. Spec. car., I, 28 ; P. L., 195, 531 D.
2. Cf. I Cor., 4, 7.
3. Brev. cist., In festo SS. Trinitatis, antiph. ad Tertiam.

de vos bienfaits ; vous arriviez encore à attirer et à séduire par le charme du goût intérieur un homme blasé de plaisirs impurs. Vous avez dénoué ces liens de la mauvaise habitude qu'on n'arrive pas à rompre[1], et, m'arrachant au monde, vous avez bien voulu me recueillir.

J'ai bien d'autres preuves encore de sa bonté pour moi, mais je veux les taire de peur de détourner à mon avantage tant soit peu de la gloire qui toute lui revient à lui seul. Car aux yeux des hommes, le don de la grâce est tellement confondu avec le succès de celui qui la reçoit, qu'ils attribuent au bénéficiaire une part de l'honneur qui revient au seul bienfaiteur. Qui en effet possède quoi que ce soit qu'il n'ait reçu? Et si l'on a reçu gratis, pourquoi être félicité comme si l'on y avait quelque mérite[2]? A vous donc, mon Dieu, la louange et la gloire. A vous l'action de grâces[3], et à moi de rougir d'avoir fait tant de mal en échange de tant de bienfaits.

Et si tu viens me dire : « En quoi donc as-tu été moins favorisé que moi? » je te répondrai, ma sœur : Celui dont le navire est ramené au port sans avarie par une douce brise et chargé jusqu'au bord de marchandises de prix, n'est-il pas plus heureux que celui qui, après avoir tout perdu dans un naufrage, échappe de justesse à la mort? Et ainsi, tandis que tu n'as qu'à jouir de ces richesses que la grâce divine t'a conservées, moi, c'est à grand peine qu'il me faut réparer des débris, rassembler des épaves et recoudre des lambeaux.

Néanmoins, ne crois pas encore avoir sur moi partie gagnée. Car quelle ne serait pas ta confusion si, après tous mes crimes, je me trouvais être ton égal au ciel ! Il arrive pourtant bien souvent que certains mauvais penchants viennent ternir l'éclat de la virginité, et qu'en revanche un complet revirement vienne à transformer une vie, que les vices fassent place aux vertus, et c'est tout un passé coupable qui s'en trouve effacé.

Ressouviens-toi maintenant de ces dons tout intimes

tatis inspice munera : quam iucunda facie abrenuntianti
saeculo Christus occurrit, quibus esurientem deliciis pavit,
quas miserationum suarum divitias ostendit, quos inspiravit affectus, quo te caritatis poculo debriavit. Nam si
fugitivum servum suum et rebellem sola sua miseratione
vocatum spiritalium consolationum non reliquit expertem,
quid dulcedinis crediderim eum virgini contulisse? Si
tentaberis, ille sustentabat ; si periclitabaris, ille erigebat ;
si tristabaris, ipse confortabat ; si fluctuabas, ille solidabat.
Quotiens prae timore arescenti pius consolator astabat,
quotiens aestuanti prae amore ipse se tuis visceribus
infundebat, quotiens psallantem vel legentem spiritalium
sensuum lumine illustrabat, quotiens orantem in quoddam
ineffabile desiderium sui rapiebat, quotiens mentem tuam
a terrenis subtractam ad caelestes delicias et paradisicas
amoenitates transportabat.

Haec omnia revolve animo, ut in eum totus tuus resol-
vatur affectus. Vilescat tibi mundus, omnis amor carnalis
sordescat. Nescias te esse in hoc mundo, quae ad illos qui
in caelis sunt et Deo vivunt, tuum transtulisti propositum.
Ubi est thesaurus tuus, ibi sit et cor tuum. Noli cum
argenteis simulacris vili marsupio tuo tuum includere
animum, qui nunquam cum nummorum pondere poterit
transvolare ad caelum. Puta te quotidie morituram, et
de crastino non cogitabis ; non te futuri temporis sterilitas
terreat, non futurae famis timor tuam mentem deiciat,
sed ex ipso tota fiducia tua pendeat, qui aves pascit et

---

1. Cf. Introduction, p. 28.
2. *Matth.*, 6, 21.

de Dieu, que tu es seule à pouvoir apprécier : ce visage radieux avec lequel le Christ vint à ta rencontre quand tu quittas le monde ; ces délices dont il t'a rassasiée quand tu avais faim ; ces trésors de tendresse dont il a fait preuve ; ces élans du cœur qu'il t'a inspirés, et cette coupe de charité dont il t'a enivrée ! Car enfin si, après m'avoir ramené par pure bonté, moi, son esclave fugitif et rebelle, il ne m'a pas laissé tout à fait sans expérience des consolations spirituelles, de quelle douceur, ce me semble, n'a-t-il pas dû combler une vierge ! Étais-tu tentée ? Il te soutenait. Venais-tu à tomber ? Il te relevait. Étais-tu triste ? Il te consolait. Éprouvais-tu quelque agitation ? Il était là pour t'affermir. Combien de fois le doux Consolateur n'est-il pas venu calmer la crainte qui te desséchait ? Combien de fois n'a-t-il pas pénétré les fibres mêmes de ton cœur tout brûlant d'amour ? Tandis que tu psalmodiais ou lisais, que de fois n'est-il pas venu t'illuminer de la clarté des sens spirituels[1] ? Combien de fois, enfin, à l'oraison, ne t'a-t-il pas ravie d'un indicible désir de le posséder, et que de fois, te soustrayant aux choses d'ici-bas, ne t'a-t-il pas transportée au milieu des joies célestes et des douceurs paradisiaques ?

Repasse tout cela dans ton cœur, pour que tout ton amour se concentre en lui seul. Et la terre perdra tout intérêt, et toute affection charnelle te semblera vulgaire. Tu en oublieras que tu es de ce monde. N'as-tu pas déjà transplanté ta vie parmi les habitants des cieux qui ne vivent que pour Dieu ? Que ton cœur soit là où est ton trésor[2]. Ne va pas tenir ton âme à l'étroit dans une méchante bourse avec de l'argent sans valeur. Comment veux-tu que, lestée d'un tel poids, cette âme monte au ciel ? Dis-toi que tu mourras aujourd'hui, et tu ne penseras plus au lendemain. Ne t'effraye pas de la disette qui peut arriver. Ne te laisse pas abattre par la peur d'avoir faim. Que tout ton abandon soit en celui qui nourrit les oiseaux et habille

lilia vestit. Ipse sit horreum tuum, ipse apotheca, ipse marsupium, ipse divitiae tuae, ipse deliciae tuae ; solus sit omnia in omnibus.

Et haec interim de praesentibus satis sint.

33. Qui autem tanta suis praestat in praesenti, quantum illis servat in futuro !

Principium futurorum et finis praesentium, mors est. Hanc cuius natura non horret, cuius non expavescit affectus? Nam bestiae fuga, latibulis, et aliis mille modis mortem cavent, vitam tuentur. Iam nunc diligenter attende, quid tua tibi respondeat conscientia, quid praesumat fides tua, quid spes promittat, quid expectet affectus.

Si vita tua tibi oneri est, si mundus fastidio, si caro dolori, profecto desiderio tibi mors est, quae vitae huius onus deponit, finem ponit fastidio, corporis dolorem absumit. Hoc unum dico omnibus mundi huius praestare deliciis, honoribus atque divitiis, si ob conscientiae serenitatem, fidei firmitatem, spei certitudinem, mortem non timeas. Quod ille maxime poterit experiri, qui aliquo tempore sub hac servitute suspirant, in liberioris conscientiae auras evasit. Hae sunt futurae beatitudinis tuae primitiae salutares, ut morte superveniente naturalem horrorem fides superet, spes temperet, conscientia secura repellat.

Et vide, quomodo mors beatitudinis principium est, laborum meta, peremptoria vitiorum. Sic enim scriptum est : Beati mortui, qui in Domino moriuntur. Amodo iam dicit Spiritus, ut requiescant a laboribus suis. Unde

1. Cf. *Matth.*, 6, 26 sq.
2. Cf. *Éph.*, 1, 23. *Col.*, 3, 11.
3. Cf. *Spec. car.*, I, 28 ; *P. L.*, 195, 532 C.
4. Cf. Introduction, p. 29.

les lis[1]. Qu'il soit ton grenier, tes celliers, ta bourse, tes
richesses et tes délices ; qu'il soit, lui seul, toutes choses
en tous[2].

Mais en voilà assez pour le moment de ce qui est des
bienfaits présents.

3. Les bienfaits futurs

33. Celui qui a tant donné aux siens en cette vie, que
ne leur réserve-t-il pas dans celle à venir !

La mort, L'inauguration des réalités à venir
frontière entre et la fin des choses présentes, c'est la
la vie présente mort. Quelle nature n'en a horreur,
et la vie future
et quel cœur ne s'en angoisse ? Tous les animaux fuient
la mort et défendent leur vie en se cachant et de mille
autres manières. Maintenant donc, demande-toi sincère-
ment ce que te suggère ta conscience, ce dont la foi te
donne assurance, ce que ton espérance te promet, enfin
ce qu'attend ton cœur.

Si la vie te pèse, si le monde t'ennuie, si la chair n'est
plus pour toi que souffrance, la mort viendra combler ton
désir. Elle te soulagera du poids de la vie, mettra fin à
l'ennui et supprimera la douleur. Arriver à ne pas craindre
la mort parce qu'on a la conscience sereine, une foi robuste
et un espoir certain, voilà ce qui, à mon avis, l'emporte
sur toutes les joies[3], tous les honneurs et toutes les richesses
de ce monde. En fera surtout l'expérience celui qui, soupirant sous le fardeau de notre servitude, aura connu quelques
moments les brises plus pures d'une âme plus libre[4]. Telles
sont les prémices libératrices de la béatitude : alors que
vient la mort, l'horreur naturelle est dominée par la foi,
adoucie par l'espérance, chassée par la paix de la
conscience.

Et, remarque-le, la mort est vraiment la frontière :
commencement de la béatitude, fin des travaux et des vices.
Aussi est-il écrit : « Heureux ceux qui sont morts dans le
Seigneur, qu'ils se reposent maintenant, dit l'Esprit, de

Propheta reproborum mortem ab electorum morte discernens : Omnes, inquit, reges dormierunt in gloria, vir in domo sua, tu autem proiectus es de sepulchro tuo quasi stirps inutilis, pollutus et obvolutus. Dormiunt quippe in gloria quorum mortem bona commendat conscientia, quoniam pretiosa est in conspectu Domini mors sanctorum eius. Dormit sane in gloria, cuius dormitioni assistunt angeli, occurrunt sancti, et concivi suo praebentes auxilium et impertientes solatium, hostibus se opponunt, obsistentes repellunt, refellunt accusantes, et sic usque ad sinum Abrahae sanctam animam comitantes, in loco pacis collocant et quietis.

Non sic impii non sic, quos de corpore quasi de foetenti sepulchro, pessimi spiritus, cum instrumentis infernalibus extrahentes, pollutos libidine, obvolutos cupiditate, iniciunt ignibus exurendos, tradunt vermibus lacerandos, aeternis fetoribus deputant suffocandos. Vere expectatio iustorum laetitia, spes autem impiorum peribit.

Sane qualis sit illa requies, quae pax illa, quae iucunditas in sinu Abrahae, quae illic quiescentibus promittitur et expectatur, quia experientia non docuit, stilus explicare non potuit. Expectant felices donec impleatur numerus fratrum suorum, ut in die resurrectionis duplicis stolae induti gloria, corporis pariter et animae perpetua felicitate fruantur.

Iam nunc diei illius intuere terrorem, quando virtutes caelorum movebuntur, elementa ignis calore solventur,

---

1. *Apoc.*, 14, 13.
2. *Is.*, 14, 19.
3. *Ps.* 115, 15.
4. Sur les anges qui assistent les mourants, cf. Introduction, p. 30.
5. *Ps.* 1, 4.
6. *Prov.*, 10, 28.
7. *Lc*, 16, 22.
8. Cf. *Apoc.*, 6, 11.

leurs travaux[1]. » D'où le Prophète faisait la distinction
entre la mort des réprouvés et celle des élus : « Tous les
rois, disait-il, dormiront dans la gloire, chacun dans sa
demeure, mais toi, tu seras jeté hors de ton sépulcre comme
une racine inutile, pourrie et tordue[2]. » Oui, ils reposent
dans la gloire, ceux qui sont morts avec le témoignage
d'une bonne conscience, parce que précieuse est aux yeux
du Seigneur la mort des saints[3]. Il repose dans la gloire,
soyons-en sûrs, celui que les anges ont assisté lorsqu'il
s'est endormi[4] ; les saints sont accourus prêter main forte
à leur concitoyen, ils l'ont soutenu face à l'ennemi. Ils ont
repoussé les assaillants et réfuté les accusateurs. Puis,
faisant cortège à l'âme sainte, ils l'ont menée jusque dans
le sein d'Abraham, au lieu de la paix et du repos.

Mais il n'en va pas de même des impies, oh non[5] ! D'horribles esprits viennent les extraire de leurs corps avec des
instruments infernaux, comme d'un tombeau infect. Tout
souillés de passions, ils les jettent, roulés dans leur cupidité,
aux flammes dévorantes et aux vers rongeurs. Ils les
condamnent à suffoquer dans une éternelle puanteur. C'est
en toute assurance que les justes attendent leur bonheur,
mais l'espérance des pécheurs tourne à rien[6].

Ce que sera ce repos promis et attendu, cette paix, ce
bonheur dans le sein d'Abraham[7], la plume n'en peut rien
décrire, puisque l'expérience ne nous l'a jamais appris.
Les bienheureux attendent que le nombre de leurs frères
soit au complet, et au jour de la résurrection, glorieusement
revêtus de la double tunique[8], ils jouiront dans leur corps
aussi bien que dans leur âme d'un éternel bonheur.

Le jugement dernier Imagine-toi maintenant la terreur
de ce jour où les puissances célestes
seront ébranlées[9], où sous l'ardeur du feu les éléments

9. Cf. *Mc*, 13, 25.

patebunt inferi, occulta omnia nudabuntur. Veniet desuper
iudex iratus, ardens furor eius, et ut tempestas currus, ut
reddat in ira vindictam, et vastationem in flamma ignis.
Beatus qui paratus est occurrere illi. Quid tunc miseris
animi erit quos nunc luxuria foedat, avaritia dissipat,
extollit superbia. Exibunt angeli, et separabunt malos de
medio iustorum, istos a dextris, illos a sinistris statuentes.

Cogita nunc, te ante Christi tribunal inter utramque
hanc societatem assistere, et necdum in partem alteram
separatam. Deflecte nunc oculos ad sinistram iudicis, et
miseram illam multitudinem contemplare. Qualis ibi
horror, quis foetor, quis timor, quis dolor? Stant miseri et
infelices stridentes dentibus, nudo latere palpitantes, aspectu
horribiles, vultu deformes, deiecti prae pudore, prae corporis
turpitudine et nuditate confusi. Latere volunt et non
datur, fugere tentant, nec permittuntur. Si levant oculos,
desuper iudicis imminet furor. Si deponunt, infernalis
putei eis ingeritur horror. Non suppetit criminum excusatio,
nec de iniquo iudicio aliqua poterit esse causatio, cum
quicquid decretum fuerit, iustum esse ipsam eorum cons-
cientiam non latebit.

Cerne nunc quam amandus tibi sit qui te ab hac damnata
societate praedestinando discrevit, vocando separavit,
iustificando purgavit.

Retorque nunc ad dexteram oculos et quibus te glorifi-
cando sit inserturus adverte. Quis ibi decor, quis honor,
quae felicitas, quae securitas? Alii iudiciaria sede sublimes,
alii martyrii corona splendentes, alii virginitatis flore
candidi, alii eleemosynarum largitione fecundi, alii doctrina

---

1. Cf. *I Cor.*, 14, 25.
2. Cf. *Matth.*, 13, 49 ; 25, 33.

seront dissous. Les enfers s'ouvriront. Tous les secrets seront mis à jour[1]. Le Juge viendra d'en haut, irrité, et sa fureur sera comme le feu, et son char comme un ouragan. Il prendra sa revanche dans la colère et dévastera tout par le feu. Bienheureux celui qui sera prêt à aller à sa rencontre ! Et quelle pauvre figure feront alors ceux qui, maintenant, se souillent dans la luxure, que l'avarice égare et que l'orgueil exalte ! Les anges arriveront et sépareront les mauvais du milieu des justes : ceux-ci à droite, ceux-là à gauche[2].

Représente-toi maintenant que tu es devant le tribunal du Christ. Tu es là entre les deux groupes. Tu n'as pas encore été dirigée vers l'un ou l'autre parti. Tourne les yeux et regarde cette misérable foule à gauche du juge. Quelle horreur, quelle puanteur ! Quelle épouvante, et quelle souffrance ! Ils sont là, malheureux, claquant des dents, on voit leur flanc nu qui palpite. Ils sont horribles à voir, le visage grimaçant, accablés de honte, remplis de confusion par leur répugnante nudité. Ils voudraient se cacher, mais ne le peuvent. Ils cherchent à fuir, on les en empêche. S'ils lèvent les yeux, la fureur du Juge pèse sur leur tête ; s'ils les baissent, toute l'horreur de la fosse infernale leur monte à la face. Pas d'excuse à leurs crimes, pas même la dernière ressource de déclarer le jugement inique, car ce qui est décrété est juste aux yeux mêmes de leur propre conscience.

Tu vois combien tu dois aimer celui qui t'a distinguée de cette société de damnés en te prédestinant, qui t'a mise à part en t'appelant, qui t'a rendue pure en te justifiant.

Tourne-toi vers la droite maintenant, et regarde ceux parmi lesquels tu seras placée quand tu seras glorifiée. Quelle splendeur ! Quelle dignité ! Quelle joie et quelle sécurité ! Les uns sont élevés à la dignité de juges, d'autres portent la couronne resplendissante du martyre ; il y a les vierges avec des fleurs blanches, il y a ceux qui ont généreusement fait l'aumône, ceux qui ont brillé par leur

et eruditione praeclari, uno caritatis foedere copulantur. Lucet eis vultus Iesu, non terribilis, sed amabilis, non amarus, sed dulcis, non terrens, sed blandiens.

Sta nunc quasi in medio, nesciens quibus te iudicis sententia deputabit. O dura expectatio ! Timor et tremor venerunt super me, et contexerunt me tenebrae. Si me sinistris sociaverit, non causabor iniustum ; si dextris adscripserit, gratiae eius hoc, non meis meritis imputandum.

Vere, Domine, vita in voluntate tua. Vides ergo quantum in eius amore tuus extendi debeat animus, qui cum iuste posset in impios prolatam in te quoque retorquere sententiam, iustis te maluit ac salvandis inserere.

Iam te puta sanctae illi sociatati coniunctam, vocis illius audire decretum : Venite, benedicti Patris mei, percipite regnum quod vobis paratum est ab origine mundi, miseris audientibus verbum durum, plenum irae et furoris : Discedite a me, maledicti, in ignem aeternum. Tunc ibunt, inquit, in supplicium aeternum, iusti autem in vitam aeternam. O dura separatio, o miserabilis conditio.

Sublatis vero impiis ne videant gloriam Dei, iustis quoque singulis secundum gradum suum et meritum angelicis ordinibus insertis, fiet illa gloriosa processio. Christo praecedente capite nostro, omnibus suis membris sequentibus, et tradetur regnum Deo et Patri ut ipse regnet in ipsis, et ipsi regnent cum ipso, illud percipientes regnum quod paratum est illis ab origine mundi.

Cuius regni status nec cogitari quidem potest a nobis, multo minus dici vel scribi. Hoc scio quod omnino nihil

1. *Ps.* 54, 6.
2. *Ps.* 29, 6.
3. *Matth.*, 25, 34.
4. *Matth.*, 25, 41.
5. *Matth.*, 25, 46.

doctrine et leur science. Un seul lien de charité les unit tous. Sur eux le visage de Jésus resplendit, non pas terrible, mais aimable, non pas amer ou effrayant, mais très doux et plein de charme.

Et maintenant, te voilà, toi, entre les deux groupes, ne sachant pas encore vers lequel la décision du Juge va t'envoyer. Terrible attente ! Crainte et tremblement tombent sur moi, et les ténèbres m'envahissent[1]. S'il me fait rejoindre ceux de gauche, je n'aurai pas à l'accuser d'injustice ; s'il m'inscrit parmi ceux de droite, je ne le devrai qu'à sa grâce, et non à mes mérites.

Ah ! Seigneur, vraiment, la vie est entre vos mains[2]. Tu vois, n'est-ce pas, combien ton cœur doit s'épanouir dans son amour. Ce n'eût été que justice qu'il répétât sur toi la sentence dont il avait condamné les mauvais, mais il a préféré te glisser parmi les bons qu'il veut sauver.

Et maintenant que te voilà unie à cette société sainte, écoute, c'est sa voix : « Venez, les bénis de mon Père, recevez le Royaume qui vous est préparé depuis le début du monde[3]. » Mais malheur à ceux-là qui entendent les mots terribles, la voix pleine de fureur et de colère : « Loin de moi, maudits, au feu éternel[4] ! » Ils s'en iront alors au supplice qui ne finit pas, tandis que les justes iront vers la vie éternelle[5]. Terrible séparation, sort misérable !

Voilà donc, qu'on a écarté les damnés pour qu'ils ne puissent voir la gloire de Dieu ; chaque juste prend maintenant place parmi les ordres angéliques, chacun selon son rang et son mérite. Et c'est la glorieuse procession : en premier, le Christ, notre tête, puis tous ses membres. Le Royaume est remis au Dieu et Père pour qu'il règne en eux, et qu'eux règnent avec lui. Ils recevront alors ce Royaume qui leur fut préparé dès les origines du monde.

Le ciel   Ce qu'est ce Royaume, nous ne pouvons évidemment pas en avoir la moindre idée, et encore moins en parler ou en écrire. Ce

aberit quod velis adesse, nec quicquam aderit quod velis abesse. Nullus igitur ibi luctus, fletus nullus non dolor, non timor, non tristitia, non discordia, non invidia, non tribulatio, non tentatio, non aeris mutatio vel corruptio, non suspicio, non ambitio, non adulatio, non detractatio, non aegritudo, non senectus, non mors, non paupertas, neque tenebrae, non edendi, non bibendi vel dormiendi ulla necessitas, fatigatio, nulla nulla defectio.

Quid ergo boni ibi deest? Ubi neque luctus neque fletus, neque dolor est neque tristitia, quid potest esse nisi perfecta laetitia? Ubi nulla tribulatio vel tentatio, nulla temporum mutatio vel aeris corruptio, nec aestus vehementior nec hiems asperior, quid potest esse nisi summa quaedam rerum temperies et mentis et carnis vera ac summa tranquillitas? Ubi nihil est quod timeas, quid potest esse nisi summa securitas? Ubi nulla discordia, nulla invidia, nulla suspicio nec ulla ambitio, nulla adulatio nec ulla detractio, quid potest esse nisi summa et vera dilectio? Ubi nulla paupertas nec ulla cupiditas, quid potest esse nisi bonorum omnium plenitudo? Ubi nulla deformitas, quid potest esse nisi vera pulchritudo? Ubi nullus labor vel defectio, quid erit nisi summa requies et fortitudo? Ubi nihil est quod gravet vel oneret, quid est nisi summa facilitas? Ubi nec senectus expectatur, nec morbus timetur, quid potest esse nisi vera sanitas? Ubi neque nox neque tenebrae, quid erit nisi lux perfecta? Ubi mors et mortalitas omnis absorpta est, quid erit nisi vita aeterna?

Quid est ultra quod quaeramus? Certe quod his omnibus excellit, id est visio, cognitio, dilectio Creatoris. Videbitur in se, videbitur in omnibus creaturis suis, regens omnia sine sollicitudine, sustinens omnia sine labore, impertiens

---

1. Cette description de la béatitude céleste s'inspire de S. Anselme, *Proslogion*, 24-25 ; *P. L.*, 158, 239-240. Cf. Introduction, p. 31.

2. Cf. *Apoc.*, 21, 4.

que je sais, c'est qu'il n'y manquera rien de ce que tu pourrais désirer y trouver, et qu'il ne s'y trouvera rien de ce que tu voudrais ne pas y voir[1]. Et donc il n'y aura plus là-bas ni chagrin, ni pleurs, ni souffrances, ni crainte, ni tristesse[2], ni discorde, ni envie, ni déboires, ni tentations, ni changement de temps, ni ciel sombre. Plus de soupçon, ni d'ambition, ni de flatterie, ni de détraction, ni de maladie, ni de vieillesse, ni de mort, ni de pauvreté, ni d'obscurité, ni aucune de ces nécessités : manger, boire ou dormir. Plus de fatigue, plus de faiblesse.

Quel bien, dès lors, pourrait-il y manquer? Là où n'existe ni chagrin, ni pleurs, ni douleur, ni tristesse, que peut-il y avoir, sinon la joie parfaite? Là où il n'y a plus ni péril, ni tentation, ni changement de temps, ni ciel sombre, ni été brûlant, ni âpre hiver, que peut-il y avoir, sinon souverain équilibre de toutes choses et tranquillité souveraine et véritable pour le corps et pour l'âme? Là où rien n'est plus à craindre, n'est-ce pas la pleine sécurité? Où il n'est plus ni discorde, ni envie, ni soupçon, ni ambition, ni flatterie, ni détraction, que peut-il y avoir, sinon souveraine et véritable dilection? Où il n'est plus de pauvreté ni de cupidité, que peut-il y avoir, sinon plénitude de tous biens? Là où toute difformité a disparu, que peut-il y avoir, sinon beauté véritable? Où il n'est plus ni labeur, ni défaillance, qu'y aura-t-il, sinon repos parfait et pleine vigueur? Là où rien ne pèse ni n'est pénible, qu'y a-t-il, sinon aisance souveraine? Là où l'on ne redoute plus la vieillesse, où l'on ne craint plus la maladie, que peut-il y avoir, sinon santé véritable? Où il n'est plus de nuit ni de ténèbres, qu'y aura-t-il, sinon la pleine lumière? Là où la mort et la condition mortelle sont abolies, qu'y aura-t-il, sinon la vie éternelle?

Qu'ajouterons-nous encore? Ce qui reste dépasse tout ce que nous avons pu dire : c'est la vision, la connaissance, l'amour du Créateur. On le verra en lui-même, on le verra dans toutes ses créatures, gouvernant tout sans nulle

se et quodammodo dispertiens singulis pro sua capacitate,
sine sui diminutione vel divisione. Videbitur ille vultus
amabilis et desiderabilis, in quem desiderant angeli pros-
picere. De cuius pulchritudine, de cuius lumine, de cuius
suavitate, quis dicet? Videbitur Pater in Filio, Filius in
Patre, Spiritus sanctus in utroque. Videbitur non per
speculum in aenigmate, sed facie ad faciem. Videbitur
enim sicuti est, impleta illa promissione qua dicit : Qui
diligit me, diligetur a Patre meo, et ego diligam eum, et
manifestabo ei meipsum. Ex hac visione illa procedet
cognitio, de qua ipse ait : Haec est vita aeterna ut cognoscant te unum Deum, et quem misisti Iesum Christum.

Ex his tanta nascitur dilectio, tantus ardor pii amoris,
tanta dulcedo caritatis, tanta fruendi copia, tanta desiderii
vehementia, ut nec satietas desiderium minuat nec desiderium satietatem impediat. Quid est hoc? Certe quod
oculus non vidit, nec auris audivit, nec in cor hominis
ascendit, quae praeparavit Deus diligentibus se.

Haec tibi, soror, de praeteritorum beneficiorum Christi
memoria, de praesentium experientia, de expectatione
futurorum quaedam meditationum spiritualium semina
praeseminare curavi, ex quibus divini amoris fructus uberior oriatur et crescat, ut meditatio affectum excitet,

---

1. *I Pierre*, 1, 12.
2. Cf. *I Cor.*, 13, 12.
3. Cf. *I Jn*, 3, 2.
4. *Jn*, 14, 21.
5. *Jn*, 17, 3.
6. Sur cette coexistence du désir et du rassasiement dans la béatitude, cf. Introduction, p. 31.
7. *I Cor.*, 2, 9.

inquiétude, soutenant tout sans le moindre travail, se donnant à chacun selon sa capacité, et, dirai-je, se partageant sans se diminuer ni se diviser. On verra ce visage aimable, objet de désir, que les anges désirent voir[1]. Et qui dira sa beauté, son éclat et son charme ? Le Père sera vu dans le Fils, le Fils dans le Père, et l'Esprit-Saint dans l'un et l'autre. Ce ne sera plus dans un miroir, en énigme, que nous le verrons, mais face à face[2]. Car il apparaîtra tel qu'il est[3], quand sera accomplie sa promesse : « Celui qui m'aime sera aimé de mon Père, et je l'aimerai, et je me manifesterai à lui[4]. » C'est de cette vision que procède la connaissance dont il a dit encore : « La vie éternelle, c'est qu'ils te connaissent, toi, le seul véritable Dieu, et celui que tu as envoyé, Jésus-Christ[5]. »

De tout cela naît une telle affection, un amour si ardent et si tendre, une charité si douce, une joie si pleine, et avec cela une telle véhémence de désir, que la plénitude n'affaiblira en rien le désir, ni le désir la plénitude[6]. Qu'est-ce donc ? Assurément, ce que l'œil n'a pas vu, ce que l'oreille n'a pas entendu, ce qui n'est pas monté au cœur de l'homme, et ce que Dieu a préparé à ceux qui l'aiment[7].

Conclusion de la triple méditation

Et voilà, ma chère sœur, quelques semences de méditations spirituelles[8] sur les bienfaits du Christ. Souvenir des bienfaits passés, expérience de ses grâces présentes et attente des réalités futures. En entreprenant ainsi de les semer, mon seul désir fut qu'une moisson plus riche d'amour divin lève et mûrisse. La méditation éveillera en toi un élan du cœur, qui fera naître le désir, et le désir fera couler

8. Cf. Introduction, p. 18. Cette conclusion est citée, sans référence, par Ludolphe le Chartreux, *Vita Christi*, II, 89.

affectus desiderium pariat, lacrymas desiderium excitet, ut sint tibi lacrymae tuae panes dies ac nocte, donec appareas in conspectu eius, et suscipiaris ab amplexibus eius, dicasque illud quod in Canticis scriptum est : Dilectus meus mihi et ego illi.

1. Cf. *Ps.* 41, 4.

les larmes. Ces larmes qui seront le pain de tes jours et de tes nuits[1], jusqu'à ce que tu viennes à paraître en sa présence, jusqu'à ce que tu sois admise à ses étreintes et que tu puisses dire enfin les mots du Cantique : « Mon Bien-Aimé est à moi, et je suis à lui[2]. »

2. *Cant.*, 2, 16.

Habes nunc sicut petisti

corporales institutiones, quibus inclusa exterioris hominis mores componat ;

habes formam praescriptam qua interiorem hominem vel purges a vitiis, vel virtutibus ornes ;

habes in triplici mediatione quomodo in te Dei dilectionem excites, nutrias et accendas.

Si qua igitur in huius libelli lectione profecerit, hanc labori meo vel studio vicem impendat, ut apud Salvatorem meum quem expecto, apud Iudicem meum quem timeo, pro peccatis meis intercedat.

Explicit liber de institutione[a] inclusarum

a. institutione : institutis *Talbot (cf. titulum)*.

CONCLUSION ET SOMMAIRE DU TRAITÉ

Tu es donc maintenant en possession de ce que tu me demandais :

— des prescriptions concernant les observances corporelles, sur lesquelles la recluse pourra régler le comportement de l'homme extérieur.

— des directives aptes à réformer l'homme intérieur en le purifiant des vices et en l'ornant des vertus ;

— une triple méditation, où tu pourras trouver de quoi éveiller, nourrir et entretenir en toi l'amour de Dieu.

Si par la lecture de ce petit livre l'une ou l'autre se trouve avoir réalisé quelque progrès, qu'en retour de mes labeurs et de mes soins, elle intercède pour mes péchés auprès du Sauveur que j'attends et du Juge que je crains.

ICI FINIT LE LIVRE SUR LA VIE DES RECLUSES

LA PRIÈRE PASTORALE

INTRODUCTION

Lao-Tseu a dit quelque part : « On ne connaît un homme que lorsqu'on l'a vu en prière ». Nous possédions depuis longtemps de nombreux ouvrages de saint Aelred, des traités ascétiques ou doctrinaux, des œuvres d'histoire religieuse et profane, des sermons, et cette lettre à sa sœur sur la vie de recluse, qu'on vient de lire ; nous avions aussi sa biographie, œuvre d'un contemporain ; mais jusqu'à la découverte, en 1925, de la belle prière « O bone pastor Ihesu » il manquait la clef de voûte à la physionomie morale et spirituelle de l'abbé de Rievaulx.

Ce fut Dom André Wilmart qui enrichit l'héritage littéraire d'Aelred de cette pièce de choix, intitulée « Oraison pastorale de l'Abbé Aelred[1] ». Dans une introduction succincte, dom Wilmart s'est borné à présenter sommairement la belle prière qu'il venait de découvrir. Pour en savourer toute la richesse, il ne sera peut-être pas inopportun d'en comparer la teneur et les idées avec d'autres œuvres de l'abbé de Rievaulx. Il faudra aussi

---

1. A. WILMART, « L'Oraison Pastorale de l'Abbé Aelred », dans *Revue Bénédictine*, XXXVII (1925), p. 263-272 ; cf. *Rev. Bén.*, XLI (1929), p. 74. Réédition dans A. WILMART, *Auteurs spirituels et textes dévots du Moyen Age latin*, Paris, 1932, p. 286-292. La Prière Pastorale a été traduite en allemand : E. FRIEDRICH, « Die Oratio Pastoralis des Hl. Aelred », dans *Cistercienser Chronik*, LI (1939), p. 191-195, et en anglais : *The Pastoral Prayer of St. Aelred of Rievaulx*, London, 1955.

étudier la veine spirituelle à laquelle se rattache cette
prière : ses sources, parmi lesquelles il faut nommer en
premier lieu, en dehors de la Bible, Jean de Fécamp et
saint Anselme, aussi bien que saint Bernard et saint
Augustin ; son influence ; sa place dans cette lignée si
caractéristique de prières pour le troupeau qui leur est
confié, que rédigèrent maints abbés depuis les origines du
monachisme jusqu'au déclin du Moyen Age.

MANUSCRIT ET AUTHENTICITÉ

La seule copie que nous possédons de l'*Oratio Pastoralis*
a été trouvée dans un manuscrit de Jesus College à Cambridge, n° 34, fol. 97r-99r. « Ce précieux volume est un
recueil qui provient de Rievaulx, écrit par diverses mains
au XIIIe siècle[1], peut-être même depuis la fin du XIIe.
L'authenticité du morceau est donc hors de question[2]. »
Une simple lecture convaincrait d'ailleurs le plus sceptique.

Le titre identique fit parfois confondre la Prière Pastorale
avec une prière au Bon Pasteur, mise indûment sous le
nom de saint Anselme[3]. Le texte de cette pièce diffère
toutefois profondément de la prière aelrédienne[4].

1. Cf. M. R. JAMES, *A descriptive Catalogue of the Manuscripts in
the Library of Jesus College*, Cambridge, 1895, p. 43-56.

2. A. WILMART, *art. cit.*, p. 265.

3. Ainsi par W. M. DUCEY, « St. Aelred of Rievaulx and the
Speculum Caritatis », dans *Catholic Historical Review*, XVII (1931),
p. 309.

4. *P. L.*, 158, 675 sq. Aux quatre mss de la prière du ps.-Anselme,
que cite D. Wilmart, ajouter Mons, Bibliothèque de la Ville, 239,
XIIIe siècle, f. 152r-152v (provient de Cambron).

Sources de l'Oraison Pastorale

« On pourrait dire », écrit dom Wilmart, « que cette *oratio* intime est le fruit d'une *lectio* assidue selon le principe bénédictin[1] ». C'est l'appréciation d'un moine. Un exquis humaniste comme le professeur Powicke estime qu'une telle prière n'a pu jaillir que d'une âme sereine et affinée, et n'a pu être rédigée que par un fin lettré, cueillant au vol, au cours de ses lectures, une expression savoureuse, une image réussie, une pensée exaltante[2].

Bible et liturgie   Remarquable à plusieurs points de vue, cette prière se distingue surtout par ce que dom Wilmart appelle sa « couleur biblique ». Mais n'est-ce pas là décrire d'une formule trop terne ce jeu enivrant d'allusions scripturaires, qui s'enchaînent, s'appellent, se font écho : sans aucune recherche ni virtuosité, mais comme le fruit naturel d'une sève profonde ?

Aelred recueille dans l'évangile de saint Jean le symbole du bon Pasteur : « Je suis le bon Pasteur. Le bon Pasteur donne sa vie pour ses brebis[3]. » Souvent, dans l'Ancien Testament, Yahweh apparaît comme un berger veillant sur Israël[4]. Lui, le pasteur suprême — ἀρχίποιμην —, « le grand Berger », — ποιμὴν ὁ μέγας — comme on le nomme dans la *Prima Petri* (5, 4) et dans la lettre aux Hébreux (13, 20), n'abandonne jamais son troupeau.

Une citation de l'Écriture Sainte ne revient pas sous la plume d'Aelred à la façon d'un argument pour étayer une thèse : « La liturgie crée le climat spirituel dans lequel s'unifient la *lectio divina*, la méditation et la célébration

---

1. A. Wilmart, *art. cit.*, p. 265.
2. F. M. Powicke, *Walter Daniel's Life of Ailred, Abbot of Rievaulx*, Londres, 1950, p. lxvii.
3. *Jn*, 10, 11-14.
4. Cf. *Éz.*, 34, 11 ; 34, 23 ; *Jér.*, 23, 1 ; *Is.*, 40, 10-11.

de l'office[1]. » Réminiscences bibliques, expressions de
provenance liturgique, ne forment pas l'enluminure de
quelque dissertation ; une vie intérieure nourrie par elles
se retraduit dans les formes mêmes qui l'ont fait éclore.
Influence réciproque d'une spiritualité aimante qui vivifie
de l'intérieur des formules traditionnelles auxquelles elle
s'est elle-même abreuvée : *mens concordet voci*, prescrit
saint Benoît à ses disciples (*Règle*, chap. 19).

Rien d'étonnant alors que la prière d'Aelred, tout autant
que ses sermons[2], soit parsemée d'expressions liturgiques,
et comme imprégnée des grands thèmes et du style de la
liturgie.

Saint Augustin   De l'avis de dom Wilmart, la Prière
                          Pastorale « fait songer, par endroits,
aux Confessions de saint Augustin[3] ». M. Pierre Courcelle
a rendu récemment de grands services en identifiant les
passages empruntés par Aelred à saint Augustin[4]. Nous
ne nous y arrêterons pas davantage, la préférence d'Aelred
pour les écrits de l'évêque d'Hippone ayant déjà été notée
par ailleurs.

Saint Bernard   Il a été signalé, à propos d'un autre
                          ouvrage d'Aelred, le *De spiritali ami-*
citia, que l'abbé de Clairvaux s'est survécu dans les écrits
de son meilleur disciple, Aelred de Rievaulx[5]. Dans la
Prière Pastorale également se retrouvent des analogies de
pensée et d'expression. Les deux abbés sont conscients

1. J. Leclercq, « Les Méditations d'un moine au XIIe siècle », dans
Revue Mabillon, XXXIV (1944), p. 19.
2. Cf. C. H. Talbot, *Sermones inediti B. Aelredi Abbatis Rieval-*
lensis, Rome, 1952, p. 37, 57, 62, 94, 144, 161, 163, 175.
3. A. Wilmart, *art. cit.*, p. 265, note 4.
4. P. Courcelle, « Ailred de Rievaulx à l'école des Confessions »,
dans *Revue des Études Augustiniennes*, III (1957), p. 164, note 4.
5. J. de La Croix Bouton, « La Doctrine de l'amitié chez saint
Bernard », dans *Revue d'Ascétique et de Mystique*, XXIX (1953),
p. 3-19.

l'un et l'autre de ne réaliser que fort imparfaitement
— indignement, disent-ils — le nom de père et de pasteur[1].
C'est à peine si leurs prières et leurs larmes parviennent à
couvrir leurs propres péchés, et les voilà chargés de subvenir
aux besoins des autres[2] ! Abbés, Bernard et Aelred
souhaitèrent intensément de se conformer en tout à chacune
des âmes qui leur étaient confiées ; et tous deux utilisent
les mêmes termes : « quasi unus ex illis[3] ».

Les autres écrits d'Aelred comme sources de l'*Oratio Pastoralis* C. H. Talbot a remarqué, en éditant les *Sermones inediti*, qu'Aelred reprenait souvent, dans ses traités et
ses sermons, des idées et même des phrases entières à ses
ouvrages antérieurs[4]. Cette habitude se remarque très
particulièrement dans la Prière Pastorale, qui est en
quelque sorte une synthèse de sa vie spirituelle. Des idées
qu'il avait développées auparavant dans ses sermons, se
présentent ici spontanément à son esprit. Le fil d'or qui
traverse la vie d'Aelred est tissé d'amour et de souci pour
ses frères. Ainsi, ce cri d'une âme affectueuse : « Quod
vivo, quod sentio, quod discerno, totum impendatur illis
et totum expendatur pro illis » (**7**, 8-10), est-il repris
des *Sermones de oneribus* (*P.L.*, 195, 422) et reviendra-t-il
encore dans les *Sermones inediti* (éd. Talbot, p. 112).
Et cette idée, d'une sensibilité si exquise, qu'il prie pour
autrui plus par sympathie que par devoir d'état (**7**, 3),
figure déjà dans les *Sermones de oneribus* (*P.L.*, 195, 365)
et dans les *Sermones inediti* (éd. Talbot, p. 37).

1. S. BERNARD, *Epistola* CXLIV (*P. L.*, 182, 301 A) ; AELRED,
Orat. Past., **1**, 2-6.
2. S. BERNARD, *Sermo* XXX (*P. L.*, 183, 936) ; *Sermo* LXXVI
(*P. L.* 183, 1154) ; *Sermo* XXX *in cantic.* (*Édit.* Leclercq, Talbot,
Rochais, p. 213, l. 20-25) ; AELRED, *Or. Past.*, **3**, 7 sq.
3. S. BERNARD, *Tractatus de moribus et officio episc.* (*P. L.*, 182,
831 A) ; AELRED, **8**, 10.
4. C. H. TALBOT, *Sermones inediti*, p. 9 : « The repetition of ideas
and even of whole phrases is a phenomenon of normal occurrence
in Aelred's writings. »

Quant aux autres sources — les Méditations de Jean de Fécamp et quelques prières authentiques de saint Anselme — elles ont été signalées avec toute la netteté désirable par dom Wilmart.

L'influence de l'Oraison Pastorale

Dom Anselme Le Bail et, à sa suite, l'abbé J. Dubois affirment qu'on « lisait l'Oraison Pastorale encore au XVIe siècle dans les monastères de la filiation de Rievaulx[1] ». Cependant, ils ne renvoient à aucune source qui pourrait étayer cette affirmation. Si, au XVe siècle, un copiste ajouta à la Prière Pastorale quelques lignes concernant l'abbé Aelred, cela prouve que son souvenir n'avait pas été perdu, mais ne signifie pas que sa prière était très répandue, d'autant plus qu'il ne nous en reste qu'une seule copie. Nous croyons donc, avec dom Wilmart, que : « la prière *O bone pastor Ihesu* n'a jamais dû sortir du milieu de Rievaulx ; elle y est demeurée comme un héritage de famille[2] ».

L'Oraison pastorale dans l'histoire
DE LA SPIRITUALITÉ

Il n'est pas difficile de situer la Prière Pastorale d'Aelred dans toute une série de prières qui s'adressent à Jésus en tant que Bon Pasteur, et le prient pour le salut personnel de l'auteur, en même temps que pour le salut des frères qui lui sont confiés. Ce sentiment d'inquiétude pour le troupeau confié à sa garde, ces doléances sur ses propres défauts, sur son indignité, reviennent avec insistance dans ce « genre littéraire » proprement abbatial. Saint Benoît

---

1. A. Le Bail, *Aelred*, dans *Dict. de Spiritualité*, I (1937), 227 ; J. Dubois, *Aelred de Rievaulx*, *L'amitié Spirituelle*, Bruges, 1948, p. xxii.

2. *Art. cit.*, p. 266.

en parle, en des termes précis, dans le chapitre relatif à
l'abbé[1]. Avant lui, Horsièse, successeur de Théodore
comme « abbé-président » des monastères de Tabennesi,
en avait parlé, avec beaucoup de réalisme, à ses moines[2].
Les biographes coptes de Pacôme nous donnent des
images saisissantes de la vie et de la prière d'Apa Pacôme[3].
Mais avant de rencontrer une prière de ce genre en style
direct, il nous faut attendre le VIIIe siècle. De cette
époque, il en reste une, très humble et très douce,
d'Ambroise Autpert, abbé de Saint-Vincent du Vulturne.
Comme Aelred, il se demande à quoi sert de montrer aux
autres la voie de la perfection, quand on ne la parcourt
pas soi-même[4]. Récemment dom J. Leclercq a édité une
prière analogue, d'un abbé qu'il n'a pu identifier, du
milieu du IXe siècle[5]. Deux prières de l'abbé Jeannelin de
Fécamp marqueront profondément l'Oraison Pastorale[6].
Parmi les prières authentiques de saint Anselme, l'*Oratio
praelati ad quemcumque sanctum ecclesiae suae patronum*
est tant par son contenu que par son style, une des plus
belle de la série. C'est une variante de plus du thème connu :
« Pastor nominor, sed esse nequeo ; episcopus dicor, sed
non sum[7]. »

A propos d'une autre prière de saint Aelred nous avons
déjà pu constater combien les premiers écrivains cisterciens
étaient imprégnés par cet esprit de prière, si typique pour

1. *Regula S. Benedicti*, c. II.
2. Voir le texte dans L. Th. LEFORT, *Les Vies Coptes de saint
Pachôme et de ses premiers successeurs*, Louvain, 1943 (Bibliothèque
du Muséon, XVI), p. 350.
3. L. Th. LEFORT, *op. cit.*, p. 69, 169.
4. Citée par U. BERLIÈRE, *L'Ascèse bénédictine des origines à la
fin du XIIe siècle*, Maredsous, 1927, p. 181.
5. J. LECLERCQ, « Anciennes prières monastiques », dans *Studia
Monastica* I (1959), p. 381-383.
6. *Meditatio* XVIII et XXIX (*P. L.*, 158, 798 et 921).
7. *Oratio* LXXV (*P. L.*, 158, 1012-1016 ; *Édit.* F. S. Schmitt,
S. Anselmi Cant. Episc. Opera Omnia, III [1946], p. 68 [Oratio XVII]).

un nouvel ordre monastique qui se répandit très rapide-
ment, et où de très jeunes abbés, hier encore novices,
eurent souvent à charge d'importantes fondations. Rien
d'étonnant que cette angoisse de ne pouvoir suffire à leur
tâche perce jusque dans les sermons qu'ils avaient à donner
chaque jour au chapitre[1]. Guillaume de Saint-Thierry
souffre de se savoir un pasteur indigne et incapable[2].
Guerric d'Igny prie l'Esprit-Saint, ainsi que le fit Aelred,
de lui inspirer le mot juste et convaincant, lorsqu'il aura à
parler à ses fils[3]. Un texte, publié récemment, du cistercien
Gervaise de Louth Park (XIIe siècle), nous rappelle, plus
clairement encore, l'esprit de la Prière Pastorale d'Aelred[4].
Nous y trouvons, exprimé avec insistance, le thème
invariable : « Oh ! quelle horrible et terrifiante perspective,
que de devoir rendre compte de tant d'âmes, une centaine
et même plus, dont devra se justifier quelqu'un qui n'a
même pas de quoi rendre compte de sa propre petite âme
à lui ! » Jean, abbé de Ford dans le Devonshire, traduit,
sur un ton moins angoissé, les soucis et la responsabilité
de l'abbatiat : comme Aelred il veut porter à Dieu une
offrande de louanges et contribuer, dans toute la mesure
de ses forces, à l'édification et à la formation spirituelle de
ses frères[5].

C'est plus tard seulement, semble-t-il, après la grande
désolation du XIVe siècle, que le sentiment aigu des respon-
sabilités abbatiales s'exprima en des formes analogues
chez les moines noirs. Au XVe siècle, nous retrouvons les
mêmes idées chez Jean Rode, abbé de Saint-Mathias à

1. A. HOSTE, « Marginalia bij Aelred's De institutione inclusarum », dans Citeaux in de Nederlanden, IX (1958), p. 135.
2. P. L., 180, 237 C-242 A.
3. Sermo in diebus Rogationum (P. L., 185, 151-154).
4. C. H. TALBOT, « The Testament of Gervase of Louth Park »,
dans Analecta Sacri Ordinis Cisterc., VII (1951), p. 32-46.
5. Textes cités par E. MIKKERS, « Les sermons inédits de Jean de
Ford sur le Cantique des Cantiques », dans Collectanea O. C. R., V
(1939), p. 250-261.

Trèves[1], ainsi que dans une *Oratio de cura pastorali* de
Conrad de Rodenberg, un des défenseurs et propagateurs
les plus hardis de la réforme de Bursfeld[2].

CONCLUSION

A juste titre, dom Wilmart estime que l'Oraison Pastorale est « un des plus beaux écrits où s'exprime la religion
du monachisme médiéval[3] ». Nous y trouvons une finesse
de sensibilité qui nous révèle un aspect du Moyen Age,
que souvent on ne soupçonnerait guère.

Au XIIIᵉ siècle on qualifie Aelred de « pastor pius in
Rievalle[4] », et plus près de nous Dalgairns le caractérisera
avec bonheur comme « l'abbé par excellence[5] ». Ainsi
saint Aelred continua-t-il à vivre dans cette image idéale
de l'abbé, but de tous ses efforts : « le bon pasteur, qui
paît ses brebis et les conduit à l'unique bergerie ». « O pasteur illustre et prudent..., plus sensible à la charité qu'à la
rigide justice[6] », s'écrie Walter Daniel dans sa biographie
d'Aelred. N'est-ce pas le plus bel éloge qu'on pourrait
décerner à l'auteur de la prière « O bone pastor Ihesu » ?

Steenbrugge.

D. Anselme HOSTE O.S.B.

---

1. *Tractatus de bono regimine abbatis.* *Édit.* B. Pez, *Bibliotheca
Ascetica*, I, p. 157-204.

3. *Édit.* Freber, *Opera hist.*, 1601, p. 164-165 et *Catalogus de
Scriptoribus ecclesiast.*, p. 375. Voir aussi les prières de Nicolas de
Clamanges, contemporain de Conrad : J. LECLFRCQ, « Les prières
inédites de Nicolas de Clamanges », dans *Revue d'Ascétique et de
Mystique*, XXIII (1947), p. 175 : « amantissimus pastor Jesus ».

3. *Rev. Bén.*, XLI (1929), p. 74.

4. A. WILMART, « Les Mélanges de Matthieu, préchantre de
Rievaulx, au début du XIIIᵉ siècle », dans *Rev. Bén.*, LII (1940),
p. 15-84.

5. J. B. DALGAIRNS, dans *Newman's Lives of the English Saints*, V,
London, 1901, p. 53 : « Others come down to us as holy bishops,
martyrs or confessors, but Ailred was preeminently the *Abbot* of
England. »

6. *Vita Ailredi.* *Édit.* Powicke, p. 51.

Note additionnelle

« Il paraît bien qu'Aelred connaissait les prières de saint Anselme. Je retrouve dans la rédaction même qu'on va lire des échos distincts d'*Or.* LXXV, qui est certainement authentique et s'adresse au patron du lieu ; cette page était sans doute familière à l'abbé de Rievaulx et, tout naturellement, il en a repris plusieurs termes (voir ci-dessous **1**,2-6 ; **3**,1-8 ; **4**,2 ; **7**,23 sq. ; **10**,1 et rapprocher *P. L.*, 158, 1013 A ligne 2 sq. et 12 ; 1014 B 7 ; 1013 B 8 sq., 12 ; C 2 ; 1014 A 1). Une autre formule est encore plus proche de l'oraison d'Aelred par le cours des pensées : celle de Jean de Fécamp qui porte le titre *Gratiarum actiones pro beneficiis divinae misericordiae*, *Metz* 245, fol. 93 r., devenue *Med.* XVIII dans la grande série anselmienne (*P. L.*, 158, 798, et cf. 147, 462). On ne constate plus, il est vrai, une relation verbale ; mais l'analogie des situations est frappante. Avec un profond esprit religieux, les deux abbés montrent l'intime de leur être, en présence de l'unique pasteur, et nous voyons que les mêmes sentiments les animent. Je n'ai pas le loisir de procéder à une comparaison de ces admirables morceaux ; on peut les relire parallèlement. J'indiquerai en outre, à ce propos, que la célèbre *Oratio sancti Ambrosii* (*Or.* XXIX de Gerberon-Migne), dont l'attribution à Jeannelin ne fait plus de doute pour moi (ce que je n'ose pas dire pour *Or.* XXVI), a quelque rapport littéraire avec le texte d'Aelred (voir ci-dessous, **4**,4 et **5**,32, et cf. *P. L.*, 158, 923 B 1, 924 C 7) ; quoique ces passages soient tout d'abord scripturaires, je suis porté à croire qu'Aelred les avait notés, en récitant la belle prière de l'abbé de Fécamp, ainsi qu'un troisième, plus caractéristique (**5**,35 sq., cf. *P. L.*, 158, 921 C 12, 922 A 3). » (Dom Wilmart, *Auteurs spirituels...*, p. 289, note 2 ; nous avons adapté le texte de l'auteur au système de références utilisé dans le présent volume).

INCIPIT ORATIO PASTORALIS

[*Oratio ven. Aelredi Abbatis Rievallensis
Propria praelatorum maxime abbatum*[a]]
[*Ab eo composita et usitata*[b]]

1. O bone pastor Iesu, pastor bone, pastor clemens,
pastor pie, ad te clamat miser et miserabilis quidam pastor ;
etsi infirmus, etsi imperitus, etsi inutilis, ovium tamen
tuarum qualiscumque pastor. Ad te, inquam, clamat, o
bone pastor, iste non bonus pastor ; ad te clamat, anxius
pro se, anxius pro ovibus tuis.

2. Recogitans enim pristinos annos meos in amaritudine
animae meae, pavesco et contremisco ad nomen pastoris :
cui me indignissimum si non sentio, certe desipio.

Sed etsi misericordia tua sancta est super me ut erueres
de inferno inferiori miseram animam meam, qui misereris
cui volueris et misericordiam praestas in quem tibi placuerit, ita peccata condonans, ut nec damnes ulciscendo,

---

a. Oratio... abbatum *alt. manu XIII*[e] *s.*
b. Ab... usitata *alt. manu XIV-XV*[e] *s.*

---

1. Cf. *Jn*, 10, 11-14.
2. Cf. *Jn*, 21, 17.
3. Cf. *Ps.* 101, 1-2.

ICI COMMENCE LA PRIÈRE PASTORALE

Prière du vénérable Aelred, Abbé de Rievaulx,
destinée aux Prélats, et spécialement aux Abbés,
composée et souvent récitée par lui.

Appel au Bon Pasteur 1. O bon pasteur Jésus[1], pasteur si bon, pasteur plein d'indulgence et de tendresse, un pauvre et misérable pasteur crie vers vous, un pasteur faible, malhabile et inutile, mais pasteur quand même, et comme il peut, de vos brebis[2]. Vers vous, dis-je, ô bon Pasteur, crie ce pasteur qui n'est point bon ; vers vous il crie, angoissé[3] pour lui-même, angoissé pour ses brebis.

Acte de contrition 2. Quand dans l'amertume de mon âme je repasse mes années passées[4], je m'effraie et je tremble au seul nom de pasteur : ne serait-ce pas folie, d'ailleurs, que je ne m'en sente infiniment indigne ?

Je sais bien que votre sainte miséricorde est sur moi et veut sauver ma pauvre âme des profondeurs de l'abîme[5], ô vous qui faites miséricorde à qui vous voulez et accordez votre pitié à qui il vous plaît[6], vous qui remettez les

---

4. Cf. *Is.*, 38, 15 ; *Héb.*, 10, 32.
5. Cf. *Ps.* 85, 13.
6. Cf. *Ex.*, 33, 19.

nec confundas improperando, nec minus diligas imputando :
nihilominus tamen confundor et conturbor, memor quidem
bonitatis tuae, sed non immemor ingratitudinis meae.
Ecce enim, ecce est ante te confessio cordis mei, confessio
innumerabilium criminum meorum, a quorum dominatu
sicut placuit misericordiae tuae liberasti infelicem animam
meam. Pro quibus omnibus, quantum conari possunt,
grates et laudes exsolvunt tibi omnia viscera mea.

Sed non minus debitor tibi sum etiam et pro illis malis
quaecumque non feci, quoniam certe quicquid mali non
feci, te utique gubernante non feci, cum vel subtraheres
facultatem, vel voluntatem corrigeres, vel resistendi dares
virtutem.

Sed quid faciam, Domine Deus meus, et pro his quibus
adhuc iusto iudicio tuo aut fatigari aut prosterni pateris
servum tuum filium ancillae tuae?

Innumerabilia enim sunt, Domine, pro quibus sollicita
est in oculis tuis peccatrix anima mea, quamvis non ea
contritione nec tanta cautione quantam exigeret necessitas
mea vel affectaret voluntas mea.

3. Confiteor itaque tibi Iesus meus, salvator meus, spes
mea, consolatio mea ; tibi confiteor Deus meus, me nec
pro praeteritis esse adeo contritum vel timidum ut deberem,
nec pro praesentibus adeo sollicitum ut oporteret.

Et tu, dulcis Domine, talem constituisti super familiam
tuam, super oves pascuae tuae ; et qui parum sollicitus
sum pro meipso, iubes ut sollicitus sim pro illis ; et qui pro
meis peccatis orare nequaquam sufficio, iubes me orare
pro illis, et qui me ipsum parum docui, iubes ut doceam
illos. Miser ego quid feci, quid praesumpsi, quid consensi?

1. Cf. *Jér.*, 31, 20, etc.
2. Cf. *Ps.* 115, 16, etc.
3. Cf. *Matth.*, 24, 35.
4. Cf. *Ps.* 73, 1 ; 78, 13.

péchés et ne condamnez point par vengeance, ni n'accablez personne sous vos reproches, et qui n'aimez pas moins ceux que vous châtiez. Malgré tout, je reste confus et troublé, car si je me souviens de votre bonté, je ne puis oublier mes ingratitudes. Je vous ouvre donc mon cœur, je confesse devant vous ces innombrables crimes dont il a plu à votre miséricorde de délivrer ma pauvre âme asservie. A leur occasion, du plus profond de mon cœur[1] et de toutes mes forces, je vous rends grâces et je vous loue.

Mais je ne suis pas moins votre débiteur pour tout le mal que je n'ai pas fait, car évidemment si je ne l'ai pas fait c'est que votre providence m'en empêchait, en m'enlevant les moyens de mal faire, ou en rectifiant ma volonté, ou en me donnant la force de résister.

Et que faire encore, Seigneur mon Dieu, pour tout le mal dont par un juste jugement vous souffrez que votre serviteur, le fils de votre servante[2], soit accablé et tourmenté ?

Innombrables sont les raisons, Seigneur, qu'a mon âme pécheresse de se troubler sous votre regard ; et malgré tout, mon regret et ma vigilance sont loin d'être ce qu'ils devraient être, ce que je voudrais qu'ils soient.

**Examen
sur la charge d'abbé** **3.** A vous je le confesse, mon Jésus, mon sauveur, mon espoir et ma consolation ; à vous je le confesse, mon Dieu, je ne suis pas aussi contrit ni aussi pénétré de crainte que je devrais l'être en raison du passé, et je ne me soucie pas du présent comme il conviendrait.

Et vous, doux Seigneur, vous avez établi un tel homme à la tête de votre famille[3], des brebis de votre troupeau[4] ! Moi qui ai si peu souci de moi-même, vous voulez que je me soucie d'eux ; moi qui ne suffis pas à prier pour mes propres péchés, vous voulez que je prie pour eux aussi ; moi qui ai si peu appris, vous voulez que j'apprenne aux autres. Malheur à moi, qu'ai-je fait, qu'ai-je entrepris, à

Immo tu, dulcis Domine, quid de hoc misero consensisti?
Obsecro, dulcis Domine, nonne haec est familia tua, populus
tuus peculiaris, quem secundo eduxisti de Aegypto, quem
creasti, quem redemisti? Denique de regionibus congre-
gasti eos et habitare facis unius moris in domo. Cur ergo,
fons misericordiae, tales tali, tam caros tibi tam proiecto
ab oculis tuis commendare voluisti?

An ut responderes affectionibus meis et traderes me
desideriis meis, essemque quem artius accusares, districtius
damnares, nec pro meis tantum peccatis sed etiam pro
alienis punires? Itane, o piissime, ut esset causa manifestior
cur unus peccator acrius puniretur, dignum fuit ut tot
et tales periculo exponerentur? Quod enim maius periculum subditis, quam stultus prelatus et peccator? An, quod
de tanta bonitate dignius creditur, suavius experitur, ideo
talem constituisti super familiam tuam, ut manifesta
fieret misericordia tua et notam faceres sapientiam tuam,
ut sublimitas virtutis tuae, non ex homine, ut si forte
placuerit benignitati tuae per talem bene regere familiam
tuam, non glorietur sapiens in sapientia sua, nec iustus
in iustitia sua, nec fortis in fortitudine sua : quoniam cum
bene regunt populum tuum illi, tu potius regis quam illi?
Sic sic non nobis, Domine, non nobis sed nomini tuo da
gloriam.

4. Verum qualicumque iudicio me indignum et pecca-
torem in hoc officio posuisti vel poni permisisti, quandiu
tamen pateris me praeesse illis, iubes me sollicitum esse

1. Cf. *Matth.*, 24, 45.
2. Cf. *Deut.*, 7, 6, etc.
3. Cf. *Ps.* 80, 11, etc.
4. Cf. *Ps.* 106, 2.
5. Cf. *Ps.* 67, 7.
6. Cf. *Rom.*, 1, 24.
7. Cf. *Ps.* 18, 14.
8. Cf. *Matth.*, 24, 45.
9. Cf. *Ps.* 105, 8.
10. Cf. *II Cor.*, 4, 7.

quoi ai-je consenti ? Mais vous surtout, doux Seigneur,
qu'avez-vous laissé faire de ce malheureux ? Car enfin,
doux Seigneur, n'est-ce pas ici votre famille[1], votre peuple
choisi[2], qu'une seconde fois vous avez fait sortir d'Égypte[3],
que vous avez créé, racheté ? Vous les avez rassemblés de
tous les pays[4] pour les faire habiter ensemble et vivre la
vie commune dans cette maison[5]. Pourquoi donc, Source
de bonté, alors qu'ils sont ce qu'ils sont et que je suis ce
que je suis, avoir voulu les confier, eux qui vous étaient
si chers, à moi, si condamnable à vos yeux ?

Était-ce pour donner libre cours à mes passions, pour
me livrer à mes désirs[6], afin d'avoir davantage à me
reprocher et de me condamner plus sûrement et plus
sévèrement, non seulement cette fois pour mes propres
péchés, mais encore pour ceux des autres[7] ? Mais valait-il
la peine, pour rendre plus manifeste le châtiment d'un seul
pécheur, d'exposer tant d'âmes — et quelles âmes ! —
au danger ? Y a-t-il en effet pire danger pour des sujets
qu'un prélat insensé et pécheur ? Ou bien — ceci me semble
plus digne de votre bonté et de l'expérience que nous en
avons — avez-vous mis à la tête de votre famille[8] un homme
tel que votre miséricorde et votre sagesse en soient rendues
plus manifestes[9] ? N'avez-vous pas voulu, quand il a plu
à votre bénignité de bien gouverner votre famille par un
tel homme, que rien ne lui soit dû, mais tout à votre
puissance[10], pour que le sage n'ait pas à se vanter de sa
sagesse, ni le juste de sa justice, ni le fort de sa force[11] :
car s'ils gouvernent bien votre peuple, c'est plutôt vous
qui le gouvernez qu'eux ? Alors, Seigneur, non pas à nous,
mais à votre nom donnez-en toute la gloire[12].

**Introduction
à la prière pour
soi-même et pour
ses subordonnés**

4. Quelle qu'ait été votre intention
d'ailleurs en me plaçant ou en me
laissant placer en cette charge, moi
indigne et pécheur, tant que vous me souffrirez à leur tête,

11. Cf. *Jér.*, 9, 23.
12. Cf. *Ps.* 113 b, 1.

pro illis et attentius orare pro illis. Ergo, Domine, non in iustificationibus meis prosterno preces ante faciem tuam, sed in miserationibus tuis multis, et ubi tacet meritum, clamat officium.

Sint igitur oculi tui super me, et aures tuae ad preces meas. Sed quoniam, ut sanxit lex divina, officium sacerdotis est pro se primo [orare[a]], deinde pro populo sacrificium offerre : qualecumque hoc orationis sacrificium pro peccatis meis primum tuae immolo maiestati.

5. Ecce vulnera animae meae, Domine. Omnia videt oculus tuus vivus et efficax, et pertingens usque ad divisionem animae et spiritus. Vides certe, Domine mi, vides in anima mea et praeteritorum peccatorum meorum vestigia, et praesentium pericula, causas etiam et materias futurorum. Vides haec, Domine, et sic volo ut videas. Tu enim scis, o inspector cordis mei, quia nihil est in anima mea quod vellem latere oculos tuos, etiam si eorum possem cavere conspectum. Vae illis quorum voluntas est ut abscondantur a te. Non enim efficiunt ut non vidantur a te : sed potius ut non sanentur et puniantur a te.

Vide me, dulcis Domine, vide me. Spero enim in pietate tua, o misericordissime, quia aut pius medicus videbis ut sanes, aut benignissimus magister ut corrigas, aut indulgentissimus pater ut ignoscas.

Hoc est igitur quod rogo, o fons pietatis, confidens de illa omnipotentissima misericordia tua et misericordissima omnipotentia tua, ut in virtute suavissimi nominis tui et

---

a. orare *exp. alt. manus, fortasse recte sec. Wilmart.*

---

1. Cf. *Dan.*, 9, 18.
2. Cf. *Ps.* 33, 16.
3. Cf. *Lév.*, 9, 7 ; *Héb.*, 5, 3.
4. Cf. *Sag. Sir.*, 23, 27.

vous m'ordonnez d'avoir soin d'eux et de prier avec zèle pour eux. Ce n'est donc pas de mes mérites que je fais état en me prosternant en prières devant votre face ; je me confie simplement en votre grande miséricorde[1], afin qu'où le mérite se tait, la fonction parle.

Que vos yeux soient donc sur moi et vos oreilles attentives à mes prières[2]. Cependant, puisqu'il est dit dans la loi divine que le devoir du prêtre est de prier pour lui-même d'abord et d'offrir ensuite le sacrifice pour le peuple[3], j'offre donc à votre Majesté ce pauvre sacrifice de prières d'abord pour mes péchés.

Prière pour soi-même **5.** Voici les plaies de mon âme, Seigneur. Votre regard voit tout[4], il est vivant et efficace et atteint jusqu'à la division de l'âme et de l'esprit[5]. Vous voyez certainement dans mon âme, Seigneur, et les traces de mes péchés, et les dangers immédiats, et les raisons de craindre pour l'avenir. Vous voyez tout cela, Seigneur, et c'est mon désir que vous le voyiez. Vous savez bien, vous qui scrutez mon cœur[6], qu'il n'est rien dans mon âme que je veuille cacher à vos yeux, à supposer que ce fût possible. Malheur à ceux qui veulent se cacher de vous[7], car c'est bien en vain, et au lieu d'être guéris, ils seront punis par vous.

Regardez-moi donc, doux Seigneur, regardez-moi. J'espère en votre pitié, ô très miséricordieux, car comme un bon médecin vous regardez pour guérir, comme un maître compréhensif pour corriger et comme un père très indulgent pour pardonner.

Voici ce que je demande, Source de pitié : confiant en votre toute-puissante miséricorde, en votre miséricordieuse toute-puissance, par votre nom suave et efficace et

5. Cf. *Héb.*, 4, 12.
6. Cf. *Prov.*, 24, 12.
7. Cf. *Is.*, 29, 15.

mysterii sacrosanctae humanitatis tuae, dimittas mihi peccata mea et sanes languores animae meae, memor bonitatis tuae, immemor ingratitudinis meae. Et contra vitia et passiones malas quae adhuc impugnant eam, sive ex antiqua consuetudine mea pessima, sive ex quotidianis et infinitis negligentiis meis, sive ex infirmitate corruptae et vitiatae naturae meae, sive ex occulta malignorum spirituum tentatione, virtutem et fortitudinem administret mihi dulcis gratia tua, ut non consentiam neque regnent in meo mortali corpore, neque praebeam eis membra mea arma iniquitatis, donec perfecte sanes infirmitates meas, et cures vulnera mea, et deformia mea formes.

Descendat Spiritus tuus bonus et dulcis in cor meum, et praeparet in eo habitaculum sibi mundans illud ab omni inquinamento carnis et spiritus, et infundens ei fidei, spei et caritatis augmentum, compunctionis, pietatis et humanitatis affectum. Aestus concupiscentiarum rore suae benedictionis extinguat, libidinosas commotiones et carnales affectiones sua virtute mortificet. Praestet mihi in laboribus, in vigiliis, in abstinentia fervorem et discretionem ; ad te amandum, laudandum, orandum, meditandum, et omnem secundum te actum et cogitatum, devotionem et efficaciam, et in his omnibus usque ad finem vitae meae perseverantiam.

6. Et haec quidem necessaria mihi sunt propter me, o spes mea. Sunt alia quibus indigeo non solum propter me, sed et pro illis quibus me iubes prodesse magis quam praeesse. Postulavit aliquando quidam antiquorum sapien-

---

1. Cf. *Rom.*, 6, 12-13.
2. Cf. *Ps.* 142, 10 ; *Sag. Sir.*, 24, 27.
3. Cf. *Ps.* 32, 14.
4. Cf. *II Cor.*, 7, 1.
5. Cf. *Regula S. Benedicti*, LXIV : « Sciatque abbas sibi oportere prodesse magis quam praeesse. »

par le mystère de votre sainte humanité, que vous me
remettiez mes péchés et que vous guérissiez les langueurs
de mon âme, ne vous souvenant que de votre bonté et
oublieux de mon ingratitude. Quant aux vices et aux
passions mauvaises qui assaillent encore mon âme par
l'effet d'une mauvaise habitude invétérée, ou de ces
innombrables négligences quotidiennes, ou encore à cause
de la faiblesse de ma nature corrompue, ou d'une tentation
cachée de l'esprit malin, que votre douce grâce me donne
la force et la vertu nécessaires pour ne pas y consentir,
pour que ces passions ne règnent pas dans mon corps
mortel, pour que je ne leur livre pas mes membres pour en
faire des armes d'injustice[1], jusqu'à ce que vous ayez guéri
complètement mes infirmités, cicatrisé mes plaies et
redressé mes difformités.

Que votre Esprit de bonté et de douceur[2] descende en
mon cœur et qu'il s'y prépare une demeure[3], la purifiant
de toute souillure de la chair et de l'esprit[4], et y infusant
un accroissement de foi, d'espérance et de charité, de
sentiments de componction, de tendresse et de douceur.
Qu'il éteigne le feu des concupiscences par la rosée de sa
bénédiction, qu'il détruise par sa puissance les mouvements
impurs et les affections charnelles. Qu'il me donne la
ferveur et la discrétion dans les travaux, les veilles et les
abstinences. Qu'il m'accorde la volonté généreuse et le
pouvoir de vous aimer, de vous louer, de vous prier, de
réfléchir, d'agir et de penser en toutes choses selon vous.
Qu'il m'accorde enfin de persévérer en tout cela jusqu'à
la fin de ma vie.

Demande spéciale   **6.** C'est pour moi-même que tout
de sagesse   cela m'est nécessaire, ô mon Espérance ; mais il est d'autres biens dont j'ai besoin non
seulement pour moi-même, mais pour ceux que je dois
plus aider que régir[5]. Un ancien demanda autrefois que
la sagesse lui fût donnée, afin qu'il sût gouverner votre

tiam dari sibi, ut sciret regere populum tuum. Rex enim erat, et placuit sermo in oculis tuis, et exaudisti vocem eius, et necdum in cruce obieras, necdum illam miram caritatem ostenderas populo tuo.

Ecce, dulcis Domine, ecce in conspectu tuo populus tuus peculiaris, ante quorum oculos crux tua, et signa passionis tuae in eis. Hos regendos commisisti huic peccatori servulo tuo. Deus meus, tu scis insipientiam meam, et infirmitas mea a te non est abscondita. Peto itaque, dulcis Domine, non aurum, non argentum, non lapides pretiosos dari mihi, sed sapientiam ut sciam regere populum tuum. Emitte eam, o fons sapientiae, de sede magnitudinis tuae, ut mecum sit, mecum laboret, mecum operetur, in me loquatur, disponat cogitationes, sermones, et omnia opera mea[a] et consilia mea, secundum beneplacitum tuum, ad honorem nominis tui, ad eorum profectum et meam salutem.

7. Tu scis, Domine, cor meum : quia quicquid dederis servo tuo, voluntas mea est ut totum impendatur illis, et totum expendatur pro illis. Insuper et ipse libenter impendar pro illis. Sic fiat, Domine mi, sic fiat. Sensus meus < et[b] > sermo meus, otium meum et occupatio mea, actus meus et cogitatio mea, prosperitas mea et adversitas mea, mors mea et vita mea, sanitas < mea[c] > et infirmitas mea, quicquid omnino sum, quod vivo, quod sentio, quod discerno, totum impendatur illis et totum expendatur pro illis, pro quibus tu ipse non dedignabaris expendi[d].

Doce me itaque servum tuum, Domine, doce me, quaeso,

a. mea *fortasse delendum coniecit Wilmart.*
b. < et > *suppl. Wilmart « pour le parallélisme des membres ».*
c. < mea > *suppl. Wilmart, ut supra.*
d. expendi *fortasse legend.* expandi *(i. e. « crucifier »)* coniecit *Wilmart.*

1. Cf. *II Chr.*, 1, 10.

peuple[1]. C'était un roi, et son langage vous a plu et vous l'avez exaucé, et pourtant vous n'étiez pas encore mort sur la croix, vous n'aviez pas encore montré à votre peuple cette étonnante marque de charité.

Voici votre peuple, doux Seigneur, le voici devant vous, lui qui a sous les yeux votre croix ainsi que les signes de votre passion. Et c'est à moi, pécheur, votre humble serviteur, que vous en avez confié le gouvernement. Mon Dieu, vous savez mon peu de sagesse, et ma faiblesse ne vous est pas inconnue[2]. Je ne vous demande, doux Seigneur, ni or, ni argent, ni pierres précieuses, mais la sagesse pour que je puisse régir votre peuple. Envoyez-la du siège de votre grandeur, Source de sagesse, pour qu'elle soit avec moi, qu'elle agisse et opère[3] avec moi, qu'elle parle en moi, qu'elle dispose mes pensées, mes discours, toutes mes actions et toutes mes décisions selon votre bon plaisir et à l'honneur de votre nom, pour leur avancement et mon salut.

Protestation de dévouement ; demande d'assistance pour le bien de tous   **7.** Vous connaissez mon cœur, Seigneur : tout ce que vous m'avez donné, à moi votre serviteur, je veux le leur donner sans réserve[4] et l'employer entièrement pour eux. Je veux surtout me dépenser moi-même pour eux de grand cœur. Qu'il en soit ainsi, mon Seigneur, qu'il en soit ainsi ! Mes sentiments et mes conversations, mes occupations et mon repos, mes pensées et mes actions, mes succès et mes échecs, ma vie et ma mort, la santé et la maladie, tout ce que je suis, ce que je vis, ce que je sens, ce que je comprends, que tout leur soit donné, à eux pour qui vous-même n'avez pas dédaigné de vous donner.

Apprenez-moi donc, à moi votre serviteur, Seigneur,

2. Cf. *Ps.* 68, 6.
3. Cf. *Sag.*, 9, 10.
4. Cf. *II Cor.*, 12, 15.

per Spiritum sanctum tuum, quomodo me impendam illis
et quomodo me expendam pro illis. Da mihi, Domine, per
ineffabilem gratiam tuam, ut patienter sustineam infirmitates eorum, pie compatiar, discrete subveniam. Discam
magisterio spiritus tui maestos consolari, pusillanimes
roborare, lapsos erigere, infirmari cum infirmis, uri cum
scandalizatis, omnibus omnia fieri, ut omnes lucrifaciam.
Da verum sermonem et[a] rectum et bene sonantem in os
meum, quo aedificentur in fide, spe et caritate, in castitate
et humilitate, in patientia et obedientia, in spiritus fervore
et mentis devotione.

Et quoniam tu dedisti illis hunc caecum ductorem,
indoctum doctorem, nescium rectorem, et si non propter
me, propter illos tamen doce quem doctorem posuisti, duc
quem alios ducere praecepisti, rege quem rectorem statuisti.
Doce me itaque, dulcis Domine, corripere inquietos, consolari pusillanimes, suscipere infirmos, et unicuique pro
natura, pro moribus, pro affectione, pro capacitate, pro
simplicitate, pro loco et tempore, sicut tu videris expedire,
memetipsum conformare. Et quoniam vel propter infirmitatem carnis meae, vel propter pusillanimitatem spiritus
mei, vel propter vitium cordis mei, parum vel certe nihil
aedificant eos labor, aut vigiliae[b], aut abstinentia mea,
aedificet eos, rogo, largiente misericordia tua, humilitas
mea, caritas mea, patientia mea et misericordia mea.
Aedificet illos sermo meus et doctrina mea, et prosit illis
semper oratio mea.

a. et *fortasse delendum sec. Wilmart.*
b. labor aut vigiliae : labor meus aut vigiliae meae *coniecit Wilmart « d'après l'analogie des autres termes ».*

1. Cf. *II Cor*, 11, 29.
2. Cf. *I Cor.*, 9, 19. 22.
3. Cf. *Matth.*, 15, 14.

apprenez-moi par votre Esprit-Saint, à me donner à eux
et à me dépenser pour eux. Donnez-moi, Seigneur, par votre
grâce ineffable, de supporter leurs faiblesses avec patience,
de compatir avec bonté et de les aider avec discernement.
Que j'apprenne à l'école de votre Esprit à consoler ceux
qui sont tristes, à réconforter les pusillanimes, à relever
ceux qui sont tombés, à être faible avec ceux qui sont
faibles, à m'indigner avec ceux qui s'indignent[1], à être
tout à tous pour les gagner[2]. Mettez sur mes lèvres une
parole exacte et claire pour qu'ils en soient édifiés en foi,
espérance et charité, en patience et obéissance, en ferveur
d'esprit et dévotion du cœur.

Et puisque vous leur avez donné ce guide aveugle[3],
ce docteur ignorant, ce chef sans savoir, enseignez vous-
même celui que vous avez établi comme docteur, guidez
celui que vous avez voulu pour guide, gouvernez celui qui
doit être leur chef ; faites-le, sinon pour moi, du moins
pour eux. Apprenez-moi donc, doux Seigneur, à corriger
les turbulents, à consoler les pusillanimes, à aider les
faibles[4], à m'adapter au caractère de chacun, à sa nature,
à ses dispositions, à ses capacités ou à sa simplicité, selon
les circonstances de temps et de lieu, comme vous le
jugerez bon. Je sais que, soit en raison de mes infirmités
physiques[5], soit à cause de la pusillanimité de mon esprit[6]
ou de la corruption de mon cœur, je ne les édifie guère
ou même pas du tout quant au travail, aux veilles et aux
jeûnes. Qu'ils soient alors édifiés, je vous demande ce don
de votre miséricorde, qu'ils soient édifiés par mon humilité,
ma charité, ma patience et ma miséricorde. Que ma parole
et mon enseignement leur fasse du bien, et qu'en tout cas
ma prière les aide.

4. Cf. *I Thess.*, 5, 14.
5. Cf. *Rom.*, 6, 19 ; *Gal.*, 4, 13.
6. Cf. *Ps.* 54, 9.

8. Tu autem misericors Deus noster, exaudi me pro illis, quem ad orandum te pro illis et officium compellit et invitat affectus, animat autem consideratio tuae benignitatis. Tu scis, dulcis Domine, quantum diligam eos, quomodo effusa sint in illos viscera mea, quomodo liquescat super illos affectus meus. Tu scis, mi Domine, quod[a] non austeritate neque in potentia spiritus mei imperem illis, quomodo optem in caritate prodesse magis quam praeesse illis, in humilitate substerni illis, affectu autem esse in illis, quasi unus ex illis.

Exaudi me itaque, exaudi me, Domine Deus meus, ut sint oculi tui aperti super illos, die ac nocte. Expande, piissime, alas tuas, et protege eos ; extende dexteram tuam sanctam et benedic eos ; infunde in corda eorum Spiritum tuum sanctum ; qui servet eos in unitate Spiritus et vinculo pacis, in carnis castitate et mentis humilitate.

Ipse adsit orantibus, et adipe et pinguedine dilectionis tuae repleat viscera eorum, et suavitate compunctionis reficiat mentes eorum, et lumine gratiae tuae illustret corda eorum ; spe erigat, timore humiliet, caritate inflammet.

Ipse eis preces suggerat quas tu velis propitius exaudire. Ipse dulcis Spiritus tuus insit meditantibus, ut ab eo illuminati cognoscant te et memoriae suae imprimant quem in adversis invocent et consulant in dubiis. In tentatione laborantibus ipse pius consolator occurrat et succurrat, et

---

a. quod *fortasse legend.* quomodo *coniecit Wilmart :* « *le subjonctif qui suit est, en tout cas, anormal* ».

---

1. Cf. *Job*, 16, 14.
2. Cf. *Éz.*, 34, 4.
3. Cf. *supra*, p. 192, n. 5.
4. Cf. *I Rois*, 18, 37.
5. Cf. *I Rois*, 8, 29.
6. Cf. *Deut.*, 32, 11, etc.

**Prière pour
les subordonnés ;
demande de
l'Esprit-Saint**
 8. Vous donc, notre Dieu de miséricorde, exaucez cette prière que je
forme pour eux, à laquelle m'oblige
ma fonction et m'incline mon cœur. La considération de
votre mansuétude me rend audacieux. Vous savez, doux
Seigneur, combien je les aime, et que mon cœur leur est
donné[1], et que toute ma tendresse leur est acquise. Vous
savez, mon Seigneur, que ce n'est pas dans un esprit de
rigueur ni de domination que je leur commande[2], que je
désire leur être utile dans la charité plutôt que de dominer
sur eux[3], que l'humilité me pousse à leur être soumis et
l'affection à être au milieu d'eux comme l'un d'entre eux.

Aussi écoutez-moi, écoutez-moi, Seigneur mon Dieu[4], et
que vos yeux soient ouverts sur eux jour et nuit[5]. Étendez
vos ailes[6] et protégez-les, Seigneur très bon, étendez votre
droite sainte et bénissez-les ; répandez dans leurs cœurs
votre Esprit-Saint[7], et qu'il les garde dans l'unité d'esprit
et le lien de la paix[8], dans la chasteté de la chair et l'humilité de l'âme.

Que cet Esprit vienne assister ceux qui prient, qu'il
remplisse l'intime de leur âme de l'onction de votre amour[9],
qu'il restaure leur esprit par la suavité de la componction,
et que par la lumière de votre grâce il illumine leur cœur ;
que par l'espérance il les relève, que par la crainte il les
rende humbles, et que par la charité il les réchauffe.

Que votre doux Esprit leur suggère lui-même les prières
que vous désirez exaucer ; qu'il soit en ceux qui méditent
afin qu'illuminés par lui ils apprennent à vous connaître
et impriment en eux le souvenir de celui qu'ils doivent
invoquer dans le malheur et consulter dans le doute.
Qu'à tous ceux qui peinent dans les tentations, ce tendre

---

7. Cf. *Missel cistercien*, oraison Infunde, *in celebratione capituli
generali.*
8. Cf. *Éph.*, 4, 3.
9. Cf. *Ps.* 62, 6.

in angustiis et tribulationibus vitae huius adiuvet infirmitatem eorum.

Sint, dulcis Domine, ipso Spiritu tuo operante, et in se ipsis, et ad invicem, et ad me pacati, modesti, benevoli, invicem obedientes, invicem servientes et supportantes invicem. Sint spiritu ferventes, spe gaudentes, in paupertate, in abstinentia, in laboribus et vigiliis, in silentio et quiete, per omnia patientes.

Repelle ab eis, Domine, spiritum superbiae et vanae gloriae, invidiae et tristitiae, acidiae et blasphemiae, desperationis et diffidentiae, fornicationis et immunditiae, praesumptionis et discordiae. Esto secundum fidelem promissionem tuam in medio eorum ; et quoniam tu scis quid cuique opus est, obsecro ut quod infirmum est in illis tu consolides, quod debile non proicias, quod morbidum sanes, quod maestum laetifices, quod tepidum accendas, quod instabile confirmes : ut singuli in suis necessitatibus et tentationibus tuam sibi gratiam sentiant non deesse.

9. Porro de his temporalibus quibus in hac vita miseri huius corpusculi sustentatur infirmitas, sicut videris et volueris provide servis tuis. Hoc unum peto a dulcissima pietate tua, Domine mi, ut quicquid illud fuerit, sive parvum sive multum, facias me servum tuum omnium quae dederis fidelem dispensatorem, discretum distributorem, prudentem provisorem.

Inspira et illis, Deus meus, ut patienter sustineant quando non dederis, moderate utantur quando dederis ; et ut de me servo tuo, et propter te etiam illorum, semper

---

1. Cf. *Regula S. Benedicti*, XXXV : « Fratres sibi invicem serviant. »
2. Cf. *Col.*, 3, 13.
3. Cf. *Rom.*, 12, 11-12.
4. Cf. *I Thess.*, 5, 14.
5. Cf. *II Cor.*, 6, 5.
6. Cf. *Matth.*, 18, 20.

consolateur vienne en aide, et qu'il seconde leur faiblesse
parmi les épreuves et les difficultés de cette vie.

Que sous l'action de votre Esprit, doux Seigneur, ils
aient la paix en eux-mêmes, entre eux et avec moi ; qu'ils
soient modestes, bienveillants, s'obéissant, s'entr'aidant[1]
et se supportant mutuellement[2] ; qu'ils aient la ferveur
d'esprit, la joie dans l'espérance[3], une endurance inlassable[4] dans la pauvreté, l'abstinence, les travaux et les
veilles[5], le silence et le recueillement.

Chassez d'eux, Seigneur, l'esprit de vaine gloire et de
superbe, de tristesse et d'envie, d'acédie et de blasphème,
de défiance et de désespoir, de fornication et d'impureté,
de discorde et de présomption. Soyez au milieu d'eux ainsi
que vous l'avez promis[6]. Et puisque vous savez ce dont
chacun a besoin, je vous en prie, raffermissez en eux ce
qu'il y a de faible[7], ne rejetez pas ce qui est débile, guérissez
ce qui est malade, apaisez leurs chagrins, ranimez les tièdes,
rassurez les instables, que tous se sentent aidés de votre
grâce dans leurs besoins et leurs tentations.

Prière
pour le temporel

9. Et pour ce qui est des biens
temporels dont nos pauvres corps
doivent bien se soutenir durant cette misérable vie,
procurez-en à vos serviteurs selon que vous le jugerez
bon et le voudrez. Mais quelles que soient l'abondance
ou la disette de ces biens, je ne demande qu'une chose
à votre très douce tendresse, mon Seigneur : faites de moi
un bon dispensateur[8], pour que je distribue avec discernement et que j'administre avec prudence tout ce que vous
nous donnerez.

Inspirez-leur, mon Dieu, de supporter patiemment que
vous ne donniez rien, et d'user avec modération de ce que
vous donnerez. Et pour moi qui suis votre serviteur et

7. Cf. *Éz.*, 34, 4.
8. 1. Cf. *Lc*, 12, 42.

hoc credant et sentiant quod utile sit illis ; tantum diligant
et timeant me, quantum videris expedire illis.

10. Ego autem commendo eos sanctis manibus tuis et
piae providentiae tuae, ut non rapiat eos quisquam de
manu tua nec de manu servi tui cui commendasti eos, sed
in sancto proposito feliciter perseverent, perseverantes
autem vitam aeternam obtineant : te praestante dulcissimo
Domino nostro qui vivis et regnas per omnia saecula
saeculorum. Amen.

1. Cf. *Regula S. Benedicti*, LXXII : « Abbatem suum sincera et
humili caritate diligant. »
2. Cf. *Jn*, 10, 28.

le leur à cause de vous, inspirez-leur à mon égard des pensées et des sentiments qui leur fassent du bien. Qu'ils m'aiment[1] et me craignent dans la mesure où vous jugerez que cela leur est utile.

Suprême recommandation   **10.** Je les remets entre vos mains saintes et je les confie à votre tendre providence ; que personne ne les ravisse de votre main[2], ni de la main de votre serviteur à qui vous les avez confiés. Qu'ils persévèrent joyeusement dans leur désir de sainteté, et qu'en persévérant ils obtiennent la vie éternelle, moyennant votre secours, notre doux Seigneur, vous qui vivez et régnez dans les siècles des siècles. Amen.

Le texte latin de La Vie de recluse *a été reproduit avec l'aimable autorisation des* Analecta Sacri Ordinis Cisterciensis ; *le texte de la* Prière pastorale *l'a été avec celle de la* Revue Bénédictine *et des* Éditions Bloud et Gay.

INDEX DES CITATIONS BIBLIQUES

Les chiffres renvoient aux pages de la traduction

INDEX DES NOMS PROPRES

Les chiffres renvoient aux pages

INDEX DES MOTS ET EXPRESSIONS

Les chiffres renvoient aux pages

TABLE DES MATIÈRES

SOURCES CHRÉTIENNES

LISTE COMPLÈTE DE TOUS LES VOLUMES PARUS

N. B. — L'ordre suivant est celui de la date de parution (n° 1 en 1942), et il n'est pas tenu compte ici du classement en séries : grecque, latine, byzantine, orientale, textes monastiques d'Occident ; et série annexe : textes para-chrétiens.

Sauf indication contraire, chaque volume comporte le texte original, grec ou latin, souvent avec un apparat critique inédit.

La mention *bis* indique une seconde édition.

SOUS PRESSE

IMPRIMERIE A. BONTEMPS, LIMOGES (FRANCE)

Registre des travaux :

Imprimeur : 21595 — Éditeur : 5078

Dépôt légal : 1er trimestre 1961